ODINS VÄG

ODINS VÄG

DET NORDISKA SJÄLSKOMPLEXET

ANDERS NILSSON

LOGIK FÖRLAG

© 2022 Logik Förlag
www.logik.se

ISBN: 978-91-89482-14-2
Illustrationer: Linus Borgström
Omslag och sättning: Logik Förlag

Innehåll

INLEDNING

Av Stephen McNallen

Jag blev mycket glad när jag fick veta att Anders Nilsson höll på med en bok om Wotan, och ännu gladare blev jag när han frågade om jag ville skriva en inledning till den. Anders är väl kvalificerad för denna uppgift. Han har vandrat Odins väg under många år. Hans "Odin World Prayer Day" har inspirerat män och kvinnor runt om i världen – inklusive mig själv. Jag har många gånger här i norra Kalifornien höjt ett horn till den Enögde, inspirerad av Anders dedikation till det nordiska folkets gudar.

I sanning är det så att Wotan vaknar upp. Män och kvinnor vars förfäder kände hans namn och och hörde hans hemligheter viskas i de rasslande löven … och hörde hans rytande i stormen … kallar på honom åter igen.

Hans söner och döttrar här i Midgård behöver hans visdom; hans inspiration; hans styrka och ja, hans raseri. Tiden kräver det. Vi måste resa oss för att möta utmaningen från den ansiktslösa övervakningsstaten; algoritmens diktatur som hugger av våra rötter. Vi måste återfinna det som är rent, heroiskt ... och heligt. Wotan ser och kallar på sina söner och döttrar.

Vi måste lyssna på hans kall. Det har gått över 50 år sedan jag hörsammade honom och påbörjade min andliga resa. Jag har aldrig ångrat det och aldrig har jag tittat bakåt. Wotan ... Odin ... Woden vill inte att vi ska vara hans slavar som krälar framför hans fötter. Han vill att vi ska bli mer lika honom. Vi ska bli starkare, visare, noblare ... vi ska bli fyrar av kunskap och ljus och glädje som visar vägen och skiner upp en värld som förmörkas.

Om du lyssnar och söker efter honom så kommer du finna honom; i skogens ljud eller i stormens vrål; i dina förfäders ansikten som tittar på dig från bleknande fotografier eller i den nyföddas ögon. Wotan, hör ditt nordiska folk kalla. Uppfyll oss med din makt och visdom så att vi kan bli mer som du.

Anders Nilssons bok "Odins väg" hjälper till att föra Uppvaknandet lite närmare.

"Bara när vi förstår att vi är en flod kommer vi att sluta drunkna i pölar".

Stephen McNallen är grundare av organisationen Asatro Folk Assembly och författare till boken *Asatru – A Native European Spirituality*.

FÖRORD

"Tvivel är vetandets begynnelse"

- Descartes

Denna skrift började som stödord till en podcast-serie med Linus Borgström för *Folkpodden*, men när jag väl började skriva så var det mer och mer som ville ut och texten blev längre och längre. Det är värt att påpeka att innehållet är en personlig betraktelse och en inre reflektion över vad jag själv tror att jag är. Den är i inte någon mening ämnad eller skriven som en handbok. Att den i vissa fall tagit ett sånt uttryck ligger nog i min egen brist på att hitta en annan form för skrivandet.

Vi är desperata i vårt sökande efter saker att hänga upp vår tro på, för att inte tala om vår syn på oss själva, men alla dessa yttre manifestationer av det inre blir blott en skugga av sitt ursprung, därför är den egna upplevelsen och lärandet det viktigaste verktyget.

Ta till dig vad andra har upplevt och erfarit, men gör det inte till din väg. Du måste själv hugga dig fram genom själens snåriga skog, däremot kan du använda andra människors uppfattning och exempel som riktmärke och ledstjärna.

Det finns många fallgropar och framförallt falska lärare som väntar en ärlig sökares hängivenhet. Det viktigaste försvaret mot irrläror är att använda ditt kritiska tänkande. Var inte cynisk eller paranoid men tänk kritiskt, och framförallt försök att se dig själv från avstånd och var objektiv.

Jag har hämtat själva tanken om själskomplexet och dess enskilda delar från framförallt Stephen McNallen och Stephen E. Flowers, men erfarenheterna och övningarna jag beskriver är helt mina egna. Även vissa delar av förklaringsmodellen och betydelsen av en del ord är också mina egna reflektioner.

Detta är inte ett historiskt korrekt dokument och aspirerar inte efter att vara det. De olika delarna som bygger vår själ är helt klart historiska, men att säga att våra förfäder såg på sig själva så som jag beskriver vore lögn, för det vet vi för lite om – men idéerna och konceptet är smidda på våra förfäders städ med samma glöd och energi, därom råder inga tvivel.

Om du är beredd att offra dig själv åt dig själv såsom Odin gjorde på det stora världsträdet, så kommer du utan tvekan att hitta en väg som ger dig insikt och förstånd. Kom bara ihåg en sak och

9

det är att du är en liten del av helheten, du är en självförverkligande produkt av dem som gått före. Med dessa ord önskar jag er lycka till i ert sökande efter sanningen.

Ett vet jag och det är att jag inget vet.

\- Sokrates

1

SJÄLSLIGA DELAR

Havet

För att tydliggöra och förenkla bilden av själskomplexet ska jag dela med mig av en bild. Ungefär så här beskrev en av mina meditationslärare syftet med meditation för mig, men min beskrivning är aningen modifierad och utan samma mål som den österländska. Jag har anpassat den så att vårt nordiska väsen bättre passar in.

Här kommer ni att få hålla två olika bilder av samma objekt i ert medvetande. Den första är bilden av ett akvarium och den andra är bilden av ett hav. Orsaken till detta är att även om akvariemodellen är bäst lämpad blir den väldigt begränsande i sin litenhet och till formen fyrkantighet.

Det är inte min intention att ge ett flödesschema eller en ritning över själens olika delar, för det går inte. Dess delar är oorganiska och utan samma tids- och rumsuppfattning som vi har. Dessa delar interagerar och flyter samman utan till synes logik. Vi börjar längst ned i akvariet och där har vi en sandbotten. I sanden ligger utspridda stenar, några större och några lite mindre. Vi har också några växter, kanske någon dekoration, likt ett sjunket skepp eller liknande. Nästa steg är själva vattnet och i detta simmar olika fiskar. Ovanför har vi vattenytan. På vattenytan ligger en båt och guppar (tänk simultant på ett större hav). Själva akvariet, det som håller vattnet på plats och förhindrar det att rinna iväg och lämna delarna, får i denna liknelse namnet *Lik* – detta är vår fysiska kropp.

Om vi sedan blickar mot båten så ser vi att den saknar roder, den driver runt helt utan styrning och riktning. Det första vi måste göra är att ge denna båt ett roder, med andra ord ett sätt att ta kontroll över riktning och mål. Båten är symbolen för *Ek* – jaget.

Första steget är att inse och förstå att vi själva har möjligheten att kontrollera vårt eget liv och inte vara ett herrelöst skepp.

Andra steget är ett för den moderna människan ett mycket svårare steg, nämligen att stilla den stormiga vattenytan. Vattenytan är den gräns som avskiljer det medvetna jaget från de mer dolda aspekterna av vårt inre, så för att få tillgång till ditt inre djup måste ytan bli så pass stilla och klar att du kan se ned i vattnet. Vågorna på ytan skapas i

mångt och mycket av det hektiska liv vi i dag lever, med alla intryck som är menade att väcka vissa känslor i oss.

När du har lyckats stilla ytan börjar det riktigt svåra arbetet.

Under ytan simmar det en mängd olika fiskar. Dessa fiskar och de växter och stenar som ligger på botten symboliserar *Minni* (minnet) av alla bra och dåliga händelser i ditt liv. Vattnet i sig får symbolisera *Ond* (ande), det som i moderna termer kallas för själ. Som du ser är ond inte skilt från de andra delarna, utan berör dem alla.

På bottnen ligger ett tjockt lager med sand. Denna botten liknas vid *Hamingjan*, det av våra förfäder inkodade minnet. Man skulle kunna tydliggöra det genom att kalla det för DNA, men häri ligger också våra arketyper och den del av oss som reagerar på djupa instinktiva präglingar.

Denna sandbotten är inte helt utan vågor – det uppstår mönster som är mycket trögrörligare än vågorna på ytan. Dessa har skapats av strömmar och riktigt starka stormar. Jag ska inte gå närmare in på den delen, men den andliga krigaren räds inte att möta även dessa arkaiska mönster.

En stor skillnad från den östliga indoariska traditionen är att vår andliga väg inte har som mål att radera bort de olika delarna för att helt bli ett med det gudomliga. Vi önskar bara bli så bra som möjligt på att utföra den roll vi har tilldelats som människor – att föra vidare en starkare *Hamingjan* till kommande generationer. Att vi därigenom möter makterna och det gudomliga är en ren konsekvens av vårt arbete.

Det jag vill ha sagt är att utslätande och renande av sanden och vattnet i detta exempel handlar mer om att gå tillbaka till ett ursprung som var renare, effektivare, sundare och andligt friskare.

Vi tar ett nytt exempel. Ponera att en vän till dig säger att du är vacker. Detta väcker en känsla hos dig och denna känsla stiger som en luftbubbla upp från botten på akvariet. Redan där stöter den på dessa djupa minnespräglingar och vidare upp i vattnet möter den växter och fiskar och när den senare ska ta sig genom den stormiga vattenytan kanske den till och med går sönder, men om den inte gör det och du fångar upp den i din båt så har du väldigt svårt att tolka den som den vara ämnad att tolkas när den först lämnade sanden. Den har under färden upp till *Ek* (jaget) blivit påverkad av alla tidigare händelser och minnen – inte bara dina egna, utan även dina sedan länge avlidna släktingars.

Nu tänker nog en del att vi som människor måste ha dessa minnen för att kunna fungera, det är ju genom dessa vi kan undvika att göra om samma misstag och så vidare. Den iakttagelsen stämmer till fullo. Vi kan inte ha som andligt mål att vandra runt som tomma minneslösa varelser. Det jag vill visa är att vi måste vara medvetna om att de tankar och känslor vi uttrycker och tar för våra egna, i själva verket i mångt och mycket är bilder av det förgångna. En del av dessa minnespräglingar är rent skadliga för oss i relationen med andra människor. Detta gäller speciellt i dagens samhälle där vi ständigt är distraherade och sinnet hela tiden jobbar på högvarv med att sortera de intryck vi bombarderas med. Det finns så lite tid till reflektion och eftertanke att vi likt den roderlösa båten blir styrda åt det håll den starkaste vinden blåser, även om den riktningen leder rakt in i en klippa.

Nu när jag gett en bild på hur du kan föreställa dig ditt nordiska själskomplex, så då går vi över till de enskilda delarna och förklarar dem.

Lik (kropp)
Ek (jaget)
Hugr (sinnet)
Minni (minnet)
Ond (ande)

Att med en bild förklara de olika delarna som utgör vårt *jag*, är så svårt och på gränsen till det omöjliga, så jag kommer ge er ett antal exempel på försök till en schematisk förklaring på hur de olika delarna interagerar. Men först vill jag visa och förklara en symbol jag tycker tydliggör detta.

Fördelen med denna symbol är att den är enkel och i sin helhet inte är begränsande eller avdelande, men det är också det som gör den aningen svår att förstå. För några år sedan, under en ritual, fick jag en bild till mig som tydligt förklarade för mig hur livet och vår andliga strävan ser ut.

Som du ser på bilden på nästa sida är det en cirkel med en integrerad spiral som avslutas i en liten punkt. Man kan lättast förklara cirkeln som vårt eller våra liv för vi har en tendens att på sätt och vis återfödas, inte så som hinduismen skulle förklara

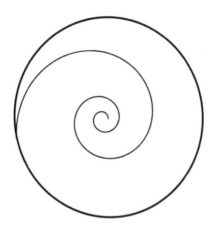

reinkarnation utan det hänger mer på *Hamingjan* och *Fylgian*[1] men också *Ond* kan gå vidare.

Cirkeln symboliserar det ständiga vandrandet, en återupprepning; födas, dö, födas, dö, och så vidare. Detta gäller i hög grad även för civilisationer och allt annat som föds. Det föds för att dö, för att sedan återta en ny form. Här bör det påpekas att vi inom asatron inte tror på hela själskomplexets eller individens återfödelse, men att delar av den är oförstörbara och vandrar vidare och tar en ny form.

Materialistiskt sett är det inte svårare än att när ett träd dör och faller till marken blir det så småningom till jord och ur denna jord kommer så småningom ett nytt träd eller gräs, och så vidare. På detta sätt går inte livsenergin i trädet någonsin förlorat. Detta är en form av reinkarnation, men att säga att

---

[1] Fylgja, av fornnordiska *fylgja*, 'skyddsande', 'följa efter', en individs alter ego, som också kan visa sig i djurgestalt.

trädets själ eller inneboende egenheter återföds, det är mer än vad jag vågar hävda.

Målet är då realiserandet av insikten om detta och framförallt revolten mot detta ändlösa vandrande runt i cirkeln. För att i stället börja på vår väg in mot centrum, kärnan i vårt existerande Ginnungagap, den bottenlösa avgrund som innehåller allt liv men ändå är livlös. En plats där alla motsättningar möts och där de tar ut varandra för att bli inget – men samtidigt allt. Det är precis här våra hjärnor slutar att fungera, för vi är så programmerade att förstå saker i relation till början och slut. Vi måste ha något hanterbart för att förstå.

Samma sak gäller när vi försöker förstå universums storhet. Det är, skulle jag säga, omöjligt för oss att greppa och begripa att det inte finns ett slut, för i vår värld här på jorden har alla saker en början och ett slut. Så är vi av evolutionen skapade, för att förstå mätbara saker. Allt som inte går att begränsa med en början och ett slut, sorterar vi bort. Så för att förstå en metafor som Ginnungagap måste den vara upplevd. Vi måste använda andra egenskaper i vår uppfattningsförmåga.

Det är här vikten av andliga övningar och ritualer kommer in i bilden. Motsättningen i vår hjärna, att vi samtidigt är skapade för att förstå klara och tydliga början och slut, men simultant möjligheten att tänka andligt. Alltså kan vi uppleva saker som vår hjärna inte rationellt kan förstå. Detta skulle jag säga är det andliga lidandets upphov och orsak. Vi är födda dualister med en splittrad verklighetsuppfattning. Vår tidsålder har i mångt och mycket lyckats utrota den andliga delen av oss till förmån för vårt rationella och logiska tänkande. Med konsekvensen att vår upplevda andlighet förnekas. Det får till följd att människan lider och psyket försöker kompensera för denna obalans genom alla de olika former av distraktion vi uppfunnit. Om vi bara skulle kunna acceptera att det faktiskt finns omätbara och för *Hugr* (sinnet) oförklarliga saker skulle vi genast få större harmoni i våra liv. Det är förmodligen här förklaringen finns till att vi har religioner. Men åter till bilderna.

Jag har försökt att inte göra de olika delarna som skilda enheter utan att de i så stor utsträckning som möjligt går in i varandra. Det är när dessa delar blir avskilda och isolerade enheter som psykiska störningar och själslig ohälsa uppstår. Man kan givetvis dra paralleller till det vediska chakrasystemet[2] med olika energipunkter, som vanligast beskrivs som sju stycken, men det finns många tusen mindre sådana knutpunkter. Dessa sägs vara länkar till den astrala kroppen. Men dessa delar, som utgör

---

[2]   Chakra, som kan kallas "livshjul", anses vara ett slags knutpunkter där livsenergi, korsar varandra. Dessa energier har dock ingenting med det vanliga energibegreppet att göra, utan tillhör helt och hållet det filosofiska systemet. Det är även här, i dessa chakran, som den fysiska kroppen sägs möta astralkroppen (ut-ur-kroppenupplevelse, när en persons själ eller medvetande skiljs från den fysiska kroppen).

de nordiska själsdelarna, är inte samma sak som det indiska Chakra, för här pratar vi om de saker som faktiskt bildar den enhet som är du på ett psykologiskt plan. Vi har givetvis dessa energipunkter eller kittlar som också kan arbeta med dem på samma vis som Chakra, men då går vi utanför denna bokens syfte.

Se dessa bilder som ett verktyg som kan vara till hjälp för att visualisera din inre värld, och inte som en faktisk karta, för vem vet, dessa esoteriska element i oss kanske inte ens befinner sig i *Lik*, vår kropp, överhuvudtaget.

Lik (Kropp)

Lik. Kropp. Materia. Fysik.

Kroppen är den behållare som gör det möjligt för delarna i det nordiska själskomplexet att interagera med vår materiella värld. Så utan en fysisk kropp, inget själskomplex. Flera av komponenterna i vår själsbild skulle inte kunna existera utan en möjlighet att kunna uttrycka sig genom en kropp. Säg att du har en bil, det är inte så att alla delar och komponenter i den behöver fungera. En del saker kan till och med vara defekta och bara delvis fungera som tänkt, men bilen går ändå att köra. Men vissa saker är väsentliga för bilens funktion. Motor, styrsystem, drivlina, bränsle och så vidare. Men det krävs något mer komplext för att den ska fylla sin tänkta funktion som transportmedel, nämligen själ, alltså föraren. Utan den tappar bilen hela sitt syfte och så är det med oss människor också. Asatron skiljer sig i detta hänseende från många andra religioner och framförallt kristendomen, men även stora delar av hinduismen och buddhismen. Vår tro lyfter snarare fram funktionen och kärleken till kroppen.

Vi vill inte förkasta den eller betvinga den. Vi vill försköna och fullända den, så att den kan fylla sitt rätta uppdrag. Kroppens uppgift är som allt annat organiskt levande på denna planet nämligen att föröka sig och försvara sin avkomma så att den i sin tur kan reproducera sig. Detta är Moder Jords syfte med oss i samverkan med hennes lagar om orsak och verkan. Bara detta skulle räcka gott och väl, djupare skulle vi inte behöva gå om vi följde denna gudomliga ordning. Men vi människor har blivit begåvade eller fördömda beroende på hur du tolkar det, med en för organiskt levande varelser väldigt stor hjärna, som har den unika förmågan att tolka och analysera vår omgivning objektivt, att se oss själva i tredje part.

Vi är inte bara objekt utan också subjekt. Då är det dags att dyka ned i människans inre, ett för de flesta individer dolt och outgrundligt mysterium som man gör bäst i att låta bli. Men som vår kodex lyder: Gör rätt och räds ingen. I detta fall så är det inte bara rätt, utan också vår plikt att ta reda på vilka vi egentligen är och vilka vi skulle kunna bli.

21

Ek (Jaget)

Ek. Jaget. Egot. Självinsikt. Identifikation.
Överlevnadsinstinkten. Behovsbaserat.

Utan *Ek* inget *Ek* kan man säga. Utan en form av självidentifikation kan vi inte uppfatta oss själva. Det är *Ek* (jaget) som uppfattar dessa själsliga komponenter och för dem samman. Inte konkret utan mer symboliskt.

Utan en känsla av jaget är det omöjligt att se sig själv i ett sammanhang. Utan ett tydligt identifierbart *Ek,* jag, blir vi lika kluvna som en schizofren person som utan hinder kan vandra mellan olika personligheter.

I modern tid har identifikationen med egot och den egna individen tagit över rollen som identifikation för vad vi människor är. Vi blir med andra ord reducerade till en själlös konsument utan andligt mål. *Ek,* jaget, är den samlande enheten där vi i det fysiska kan uppfatta oss själva. *Ek* har en viktig uppgift i det att den kan ge oss insikt och objektivitet i de övriga delarna.

Ek är stark sammankopplat med *Lik,* kroppen, och har ibland svårt att se sig som två olika enheter i samverkan. I det exempel jag gav tidigare med båten som saknade roder, symboliserar båten *Ek.* Det är denna del som måste navigeras i de stormiga vattnen. Ju mer vågor och stormar i *Hugr,* sinnet, desto svårare blir det att navigera och sätta en kurs för *Ek,* jaget. Med andra ord blir du en produkt av yttre omständigheter.

Hugr (Sinnet)

Hugr. Sinnet. Tanken. Känsla.
Intellektuell. Lynne. Analyserande.

Det är i denna enhet man kan säga att alla intryck processas och bearbetas. Först ges de en prioritering och sedan tillkommer en reaktion. *Hugr,* sinnet, kan liknas vid processorn i en dator. Här tar vi in intryck som omvandlas till handling. Exempel: Någon säger att du är vacker, detta blir då i *Hugr* omvandlat till en känsla som beror på dina tidigare upplevelser i livet. *Hugr* tolkar detta som positivt eller negativt, för att sedan ge det en prioritering och en order om utförande. Det är i denna del mycket av vår mentala förmåga sitter och det som i psykologin kallas för kognition. Det är alltså här vi formulerar våra planer och strategier. Det är också denna del som till vardags utgör det första hindret för andlig upplysning. *Hugr,* sinnet, kan liknas vid ett stormigt hav som måste stillas för att vi ska kunna se ned i djupet av oss själva. Första prioritet i andligt arbete att stilla detta stormande hav.

Det är genom *Hugr,* sinnet, vi tar in alla intryck från vår omvärld. Lyft blicken och se dig omkring, fundera en stund på hur många saker *Hugr* måste tolka, analysera, prioritera, och reagera på. Man blir lätt överväldigad av den enorma kapacitet *Hugr,* sinnet, besitter. Vi kan också då förstå att i en icke informativ och lågteknologisk värld frigörs väldigt mycket utrymme som kan användas till viktigare saker än att sortera dagens bombardemang.

Minni (Minnet)

Minni. Minnet. Genetisk prägling. Basal funktion.
Nutid - dåtid. Fritt från dömande och analys.

Minni, minnet, i sig är bara en lagringsplats för information och erfarenheter. Det kan liknas vid ett enormt arkivskåp där vi kan hitta lösningar i vår nutid ur det förgångna. *Minni,* minnet, kan användas både medvetet och reflexmässigt beroende på situation. *Minni* är en mycket viktig funktion, en basal enhet i det som bygger vår själ. Föreställ dig en dag utan långtidsminne eller en dag utan korttidsminne. Livet skulle vara extremt svårt att leva och vi skulle behöva lära om saker konstant.

Minni, minnet, har i sig ingen möjlighet att döma eller analysera en given händelse. *Minni* förmedlar bara tidigare lagrad information. I kontrast till dagens två vedertagna funktioner korttids- och långtidsminne finns i asatron ett *förfädersminne,* något vi ärver från tidigare generationer. Det är på grund av detta förfädersminne vi inom *Asatru Folk Assembly* anser att vår tro endast kan utövas och tolkas av individer sprungna ur de indoeuropeiska folken, då det ligger som en naturlig funktion i vår själ att just kunna minnas nedärvd kunskap.

I mytologin har vi guden Mimer och han är den visaste av alla. Han skiljs från sin kropp då vanerna halshugger honom. Odin balsamerar hans huvud och ger det ett eget liv. Denna symbol passar perfekt in på *Minni*. Ur minnet kan den som önskar och har förmågan hämta hela vårt folks historiska minne. Att Mimer är utan kropp kan betyda att minnet existerar utanför och oberoende av vår fysiska värld. Men för att förstås måste det tolkas av något fysiskt, någon med kropp.

Ond (Ande)

Ond. Ande. Det vi identifierar med själ.

Undermedvetna.

Ond, ande, är den allomfattande livsgnista som gör det möjligt för oss att faktiskt sammanfläta dessa delar till en andlig varelse. Den finns inte bara hos människor. *Ond*, ande, finns även hos djur och växter, till och med i mineraler som berg och stenar. Det är här tanken om en Gud har uppstått. Vi kan på ett icke-intellektuellt plan känna närvaron av denna kraft, men när vi ska börja intellektualisera denna gudomliga energi så faller det platt. Ska den förstås måste den upplevas. Vår mentala kapacitet är oförmögen att greppa det ogreppbara. Detsamma gäller när vi ska försöka föreställa oss ett universum som inte har ett slut. Exakt samma gäller för *Ond*.

Vi gör nog bäst i att inte en försöka förklara vad detta *Ond*, ande, är.

För att förstå måste vi göra denna kraft självupplevd. Det är faktiskt lättare än det kan låta. De flesta av oss har någon gång känt den euforiska glädjen över en sådan till synes trivial sak som att betrakta en vacker solnedgång vid ett stilla hav eller den villkorslösa kärlek ett barn kan förmedla.

De som utför blot och andra ritualer på de gamlas kraftplatser, så som stenringar eller gravhögar, eller de som kan nå stillhet i meditation, har alla upplevt denna känsla av allomfattande närvaro av något större. Något som våra ord och intellekt inte kan greppa. Det är den kraft som genomsyrar världen och blivit till de olika tolkningarna för gud inom religionerna. Men för oss är *Ond*, ande, kraften, också högst personlig och en livsviktig del av oss själva. Utan *Ond*, ande, blir vi levande döda – ljuset är tänt men ingen är hemma.

2

UTOMSJÄLSLIGA DELAR

Delar som inte är av vi själva, men som påverkar vårt psyke som om de var en del av densamma. Dessa behöver inte vara närvarande hos en individ.

Wode (Raseri)

Wode. Inspiration. Extas. Raseri.
Bortom Hugrs kontroll. Besatthet.

Wodhans[1] är namnet på vår urarketyp för okontrollerad inspiration – det raseri och den besatthet en Bärsärk[2] upplevde när han hamnade i detta tillstånd.

Men det är också förmågan till konst där konstnären blir helt uppslukad av sitt skapande.

---

[1] Namnets ursprung kan härledas till det indoeuropeiska rotordet *Wet* som betyder vind, att blåsa, eller inspiration.

[2] En Bärsärk var under fornnordisk tid en stridskämpe som enligt legenden svurit trohet till Odin, och i närkamp fick dennes, eller något vilddjurs stridstemperament, vanligen en varg eller björn.

Adrenalin och endorfiner är kemiska bieffekter av *Wode*.

Denna kraft får till stor del anses okontrollerbar i de ögonblick den verkar, men det finns gott om exempel på tekniker för att framkalla eller frigöra kraften. Inom alla shamanska traditioner världen över används denna kraft som ett verktyg för att nå bortom *Hugrs*, sinnet, och *Eks*, jagets, makt över vår uppfattning av tid och rum. Den är inte en naturligt inneboende egenskap i själskomplexet, utan en kraft som kommer utifrån och går in i oss. Den är så nära förknippad med Odin både etymologiskt och historiskt, att det inte är helt fel slutsats att det i själva verket är guden själv som tar en person i besittning när denna hamnar i *Wodes* makt. Den har starka likheter med den vediska kundalini[3], och precis som den kan kraften bli för stark och övermäktig om individen inte är rätt tränad eller har en lärare som vet hur man handskas med den.

Ett bra första steg för att lära känna *Wode* är genom konsten. De flesta säger och tror att de saknar förmågan, eller inte har gåvan att till exempel måla, sjunga eller dikta, men jag skulle nog snarare säga att de saknar upplevelsen av *Wode*.

---

[3] Kundalini grundar sig på att att människan har en fysisk kropp och en subtil kropp. Den subtila kroppen är på vårt fysiska plan osynlig och antas bestå av energicentran, Chakran, som är sammanlänkade genom tunna ådror, i vilka en speciell slags energi sägs flyta.

Hamingja (Karma)

Hamingjan. Karma. Orsaksbaserad framgång. Lycka.
Summan av våra handlingar i nutid och dåtid.

Denna del av själskomplexet är mycket intressant och har oanade påverkansmöjligheter i vårt liv. Här ligger vad Jung kallar det kollektiva omedvetna, den samlade informationen och kunskapen hos ett folk, en ras.

För individen har *Hamingjan* daglig påverkan. Om vi går tillbaka till liknelsen med psyket som ett akvarium och ytan som ditt vakna medvetande, så är sanden i botten på akvariet den plats där *Hamingjan* verkar. Det är också här det mytologiska materialet ligger.

Det är från *Hamingjans* lager som vi känner tillhörighet och spontan känsla av samhörighet med vissa symboler och mytologier. Våra förfäders handlingar, bra som dåliga, ligger inbäddade i detta begrepp, men även du med dina val i livet och ditt uppträdande påverkar och skapar framtidens *Hamingjan*. Det finns ingen som kan undvika denna påverkan.

I vetenskapliga termer kan man säga att *Hamingjan* är vårt DNA. Där ligger det från våra förfäder kodade materialet. Som jag tidigare skrev så kan vi inte undvika dess kraft och påverkan, men vi kan ändra utgången av orsaken. Säg att någon i ditt släktled upplevt en extrem och traumatisk händel-

29

se som satt så djupa spår i den eller de personerna att det fastnade och blev en del av deras DNA eller *Hamingjan*. Då kommer generationer efter dem också att bli påverkade av denna upplevelse. Forskare från Emory University i USA har kunnat bevisa att möss som utsatts för traumatiska upplevelser för vidare detta minne till kommande generationer[4]. Men vi är inte slavar under detta. Det finns inget bestämt och i sten hugget oföränderligt öde. Vi kan förändra och förbättra vår *Hamingja*. Vi kan genom andliga övningar och ett ärofullt liv skapa och omvandla negativ *Hamingja*. För precis som negativ påverkan ärvs, så ärver vi i lika hög grad det positiva.

Vi kan göra en omstart, inte bara för vår egen del eller för kommande generationer i vårt släktled, vi kan genom att förändra och stärka *Hamingjan* ändra hela vårt folks, vår ras *Hamingja* för den är sammankopplad genom blodet. Det är först när en blodslinje helt upphör att existera som dess kollektiva omedvetna försvinner och då för alltid.

Fylgia (Skyddsande)
Fylgia. Esoteriskt väsen. Skyddar. Leder.
Beroende av personens och dess släkts Hamingja.

Dessa esoteriska väsen finns representerade som följare för enskilda individer men också som

---

[4] http://www.nature.com/news/fearful-memories-haunt-mouse-descendants-1.14272 (2017-07-04)

skyddsandar för släkten eller till och med för hela folkslag och raser. Det är inte givet att alla har en *Fylgia* och det finns fall där fylgian har övergett eller dött och lämnat individen. Man kan dock förvärva en ny följare men då krävs ansträngning och ihärdighet i det att du ska uppnå ny ära. För det är med ärofulla handlingar och ett liv fyllt av dyrkan och vördnad som drar uppmärksamhet till dig i den andliga världen.

Fylgior, kan man säga, lever av och får sin näring genom ärofulla handlingar. Ju större ära du kan tillskansa dig desto större och starkare blir din *Fylgia.* Detta gäller även folkslag och raser.

Fylgiorna kan uppträda i både djurskepnad och människogestalt. När de kommer till dig i djurform, representerar det djuret din inre styrka, men också din svaghet. *Fylgian* blir till en reflektion, en spegelbild av summan av dina styrkor. Men den är mycket mer än en spegelbild av dig. Den har ett eget liv och kan agera utan din inverkan. När *Fylgior* uppträder i mänsklig gestalt har de antagit ett djupare och tydligare ansvar. Personer med dessa fylgior har en möjlighet och kanske också ett ansvar att förändra sin omgivning till något bättre och vackrare.

3

DEN LÅNGA VÄGEN

Nu till det svåra och i många fall långsamma arbetet med att föra logiska resonemang bortom och vidare ner i djupet av oss själva.

Detta är inget nytt eller revolutionerande i sig, dessa tekniker för självinsikt och att heliggöra makterna och förfäderna i ditt inre för att förändra vår omgivande verklighet och dess framtid.

Jag kommer här att hämta både idéer och tekniker från olika delar av vår indoariska historia. En del av dem är närmare 5 000 år gamla, medan andra är ganska nya, men gemensamt är att alla har samma mål och syfte.

Vi kan för tydlighetens skull göra en prioriteringslista, där den första vägen leder fram till insikten om dig själv och de faktiska inneboende krafter du besitter.

För att nå denna insikt måste vi förstå, i djupet av oss själva, att vi bestämmer, att det är vi själva som varje sekund av våra liv har makten över skapandet av vår egen framtid. För att göra detta måste du åstadkomma en andlig revolt mot det moderna samhället och dess negativa inverkan på ditt liv. Det handlar inte om att förneka de tekniska landvinningar vi har gjort, inte heller menar jag att du likt en vedisk sadhu[1] ska söka dig en grotta att sitta i resten av livet, eller en munks blinda lydnad. Vår tro är en livsbejakande sådan, en tro på livet i sin helhet och förmågan att leva det tillfredsställande och lyckligt. Ett liv fyllt av glädje, framgång, äventyr och kontemplation.

Vad är du, vem är du, vad ska du bli och inte bli? Dessa frågor måste du ställa dig som en väg till självinsikt. Föreställ dig mentalt att du ställer dessa frågor till din egen spegelbild. Svaren du får är inte de relevanta även om de är intressanta och hjälpande. Det viktiga här är att medvetandegöra att du faktiskt är något mer, inte bara din arbetsstation eller om du är frisk eller sjuk, om du är rik eller fattig, kvinna eller man.

Vi bär på så mycket annat inom oss som tvingats bort. Antingen av kulturella eller realpolitiska skäl eller helt enkelt för att insikten om dig själv skulle kräva en så omfattande omstart att det blir för tungt. En viktig sak i denna process är att inte ta ditt liv på så stort allvar. Det kan låta väldigt mot-

---

[1]   En sadhu (sanskrit, "inriktad på målet", "god", "ädel", "helig") avsäger sig alla världsliga anspråk för att leva ett liv i så hög grad av andlighet som möjligt. Asket.

33

sägelsefullt, men vi ska försöka att inte förstärka *Eks*, egots, kraft – för den är redan så stark i dagens samhälle.

Däremot ska du ta detta arbete på största allvar, men gör det inte så prestationsbaserat. Gör det enkelt för dig och håll det på en nivå som är hållbar för din situation.

Det som hjälpte mig i denna process var att studera naturen och hur den fysiska världen fungerar och samverkar. Den insikt och det förverkligande detta gav mig var att vi inte är skilda från eller lyder under andra lagar än alla andra levande organismer. Med denna insikt kom också förståelsen att jag inte är tvungen att ingå eller lyda i detta artificiella samhälle eller dess begränsande icke-andliga världssyn.

Jag studerade också filosofiska frågor. Våra gamla filosofer ställde livsavgörande frågor, och även om svaren är högst personliga, så är nästan frågan viktigast. Ställer du inte frågor får du heller inga svar.

Här skulle jag föreslå att man läser verk av Platon, Aristoteles, Sokrates och inte minst litteratur ur den vediska filosofin. Detta kan i många fall bli väldigt invecklat och överdrivet intellektuellt, men det kommer oundvikligen att föra dig framåt. Jag kan garantera dig att du inte kommer att gå bakåt. Här gäller samma förhållningssätt som för livet i stort. Ta det inte så allvarligt om du inte riktigt kan greppa alla dessa filosofers tankar. Läs dem i alla fall. Informationen lägger sig i *Minni,* minnet, och bearbetas omedvetet.

I denna väg ligger också realiserandet av *Lik,* din kropp. Försök i så hög grad som möjligt att leva ett liv där den moderna matindustrin har så liten påverkan som möjligt på dig. Det är få av oss som har möjlighet att leva av vad vi själva producerar, men vi kan alla ha som mål att göra medvetna val utefter den tanken. Det valet handlar mycket om att vi medvetet träder ur vår roll som en konsumerande handelsvara vilken de globala bolagen kan hantera som vinstbringare.

Häri ligger också den fysiska hälsan och din kroppsstyrka, och då inte bara muskelstyrka utan även styrkan och friskheten i ditt immunförsvar. Det är ganska självklart att om din kropp ständigt är sjuk eller påverkad av kemikalier och främmande ämnen, då har du inte mycket kraft över för att arbeta med dina andra mer subtila delar. Vi är här i en fysisk form och den har på ett sätt tolkningsföreträde. Dess behov står så att säga först i kön vad gäller vår uppmärksamhet.

Vi måste fylla vår kropp med bränsle för att den ska fungera. Det är av den anledningen jag inte här förespråkar aktiviteter så som styrketräning, då jag menar att den formen, som tillhör den moderna människan, till största delen handlar om utseende och fungerar som social markör.

Vi har extremt lätt att fastna i objektet, alltså vår kropp. Den rent fysiska träningen så som kampsport och konditionsträning bör ske först efter det att vi förstått sambandet mellan alla delarna av oss, eller i alla fall när vi fått förståelse för att kroppen är en del i en helhet som strävar efter balans med varandra.

I stället rekommenderar jag i detta stadiet ett aktivt friluftsliv, för ju mer du rör dig i naturen, desto närmare kommer du dig själv. Ibland måste man gå ut för att komma in.

För att stilla *Hugr,* sinnet, känslorna, tankarna, kommer du att i nästa steg att bildligt talat behöva lämna denna värld.

Vi kommer inte att lämna naturen som läroplats, i stället kommer vi att gå djupare in i dess närhet till oss och använda den som ett verktyg som slipar vårt sinne.

Som jag beskrivit tidigare angående *Hugr,* så ligger första delen i förståelsen att inse hur starkt påverkade vi är av dessa känslor och tankar som aldrig tycks ha ett slut. Vi är i denna tid så extremt beroende av distraktion att vi helt enkelt glömmer bort vad som är inom oss och vad som är påverkan utifrån.

Här kan det vara angeläget med en revolutionär attityd till all den teknik som är skapad för just distraktion. Stäng av, sälj, släng, ge bort, koppla ned, vägra vara nåbar i den omfattning du är i dag.

Nordisk Meditation

Jag ska ge dig en övning som du kan använda under hela resans gång. Det är klassisk meditation, men anpassad för oss nordbor. Den kommer att beröra dig och förändra din syn på verkligheten.

Som med all rituell andlig utövning är intention, fokus, mental beredskap och bestämdhet i vad du ämnar göra det som kommer att ge effekt. Om du bara rent slentrianmässigt sätter dig ned och blundar, kommer du inte ha någon större framgång, men om du i stället medvetet och med starkt fokus och tydligt mål sätter dig ner för meditation kommer resultatet att bli något helt annat. Det är inte underligare än allt annat du företar dig. Om du gör det halvdant så blir också resultatet halvdant.

Först ska du finna en trygg och avslappnad plats där det finns ett träd. Du väljer själv vilket sorts träd du känner störst tillit till. Inom *vår* tro har trädet en alldeles särskild plats. Det är i Yggdrasil som Odin får sin initiering och inser det fördolda, och det är ur en ask och en alm vi människor kommer.

Idag lär vi oss att människan härstammar från aporna och jag har inget emot apor i sig, men det ligger en helt annan storhet och stolthet i att ha sitt ursprung från träd. Nu är detta givetvis symboliskt, men den känsla och samhörighet med naturen det medför är bra mycket mer tilltalande.

Ett träd har sina rötter i jorden och sin krona riktad mot solen. Himmel och jord förenas i denna bild. Trädet är bron mellan vår fysiska värld och den metafysiska och andliga. Vi kan vandra denna väg med hjälp av träden. Trädet har en så stark arketypisk symbolik att den i sig väcker djupa minnen inom oss.

Sätt dig med ryggen mot stammen. Det spelar ingen roll hur du sitter, så länge som du kan hålla den positionen under en längre tid.

Slut ögonen och påbörja andningsövningen. Inandning ska ske genom näsan och gå ned till magen, undvik att bara andas till bröstkorgen. Pröva skillnaden själv, hur du påverkas av att andas genom munnen till bröstkorgen. Visst ger det en snabbhet, en känsla av händelse och rörelse? Men om du i stället andas in genom näsan och ned till magen (låt magen vara avslappnad) och andas ut genom munnen, så upplever du skillnaden. Du kan inte andas fort eller hetsigt när du använder näsan, det blir genast lugnare signaler till hjärnan. Denna andning kan användas så fort du känner dig stressad eller orolig, den tar dig till en lugnare nivå.

Nu sitter du i ro, i stillhet. Du har din andning under kontroll, du kan känna vinden sakta röra vid dig, du hör hur löven och grenarna följer vinden, du känner dofterna från träden och marken, du känner dig själv lutandes mot trädets stam, du känner marken under dig. Skifta nu fokus till andningen, följ luftens väg från näsan till magen och

från magen ut ur munnen. Allt är avslappnat och behagligt. Sitt så en stund, fem till tio minuter, eller så länge du behöver. Målet är nu att rikta all din uppmärksamhet inåt, att helt ge avkall på din omgivning.

I din inre bild ser och känner du nu hur du smälter samman med jorden och trädet bakom dig, du är så mycket ett med detta att om någon såg dig nu skulle dom lätt förväxla dig med trädet. Så upplöst är nu din varelse att den har sammansmält med naturen.

Föreställ dig hur du växer nedåt likt rötter som gräver sig djupt ned i marken. Marken är mjuk och lätt att tränga ned i. Dina rötter är nu fast förankrade i jorden under dig och kraften därifrån får dig att växa in i trädet. Du blir en stark och seg stam som sträcker sig mot himlen, ditt hår rör sig upp mot solen. Du känner vind som rör ditt hår, du känner värmen från solen.

Nu kan du känna hur otroligt grundad du är med rötterna djupt i moderjord och resten av din kropp svagt svajande i vinden, strävandes efter solen.

När du under stilla fokus suttit så i cirka 20 minuter kan du långsamt och prestationslöst föra känslan du har av solen och jorden under dig till mitten av bröstet, där ditt symboliska *jag* sitter. Där sammansmälter dessa krafter och föder ett ljus som du kan bära med dig. Symbolen för detta ljus är än i dag en allt för problematiserad och missförstådd symbol, nämligen världens äldsta och mest spridda symbol, svastikan.

Nu kan du långsamt öppna ögonen och ta in omgivningen omkring dig.

Denna form av meditation kan utföras även om du inte sitter rent fysiskt vid ett träd. Vissa personer har lättare än andra att utveckla förmågan att visualisera.

Detta är en grundläggande meditationsform, men den går att förenkla genom att bara fokusera på andningen.

Om du i stället för trädet visualiserar en runa som du lutar dig mot och som växer in i dig så har du där ett effektivt sätt att meditera på runorna, men mer om runor senare.

Nu kanske du undrar varför det är viktigt att behålla fokus på andning eller på en inre bild? Det enkla och korta svaret på detta är att vi använder dessa tekniker som distraktion för *Hugr*, sinnet, för att stilla den ständigt stormande havsytan, så att vi kan blicka ned i djupet.

Om du finner det svårt att släppa tankarna under dessa övningar så kan du lägga till en distraktion. Inom buddhismen såväl som hinduismen och de abrahamitiska religionerna använder man radband eller malas. Detta är små kulor uppträdda på ett snöre. Det är ett sätt att hålla räkningen på antalet upprepade heliga ord i hinduismen, som är en avlägsen släkting till vår egen tro. Det vanligaste är att upprepa Odins 108 olika namn samtidigt som du sitter i meditation.

Orsaken till tekniken här är att fysiskt uppehålla sinnet med en rörelse och simultant upprepa ett mantra. Detta får som effekt att alla dina vakna mentala funktioner är fokuserade och upptagna med att utföra dessa handlingar, så de har inte tid att störa *Ond* i sitt meditativa arbete. Jag kommer till en Odin-ritual senare där alla dessa tekniker används simultant.

Ond (Ande)

Nu har vi varit i den mer eller mindre fysiska världens nivå. När vi vandrar vidare på denna väg hamnar vi hos *Ond*, anden, själen. Detta förutsatt att de första stegen i arbetet är utförda, och viktigast av allt att du själv har nått en insikt och ett konfirmerande av ditt eget jag. Då ska vi gå över till att arbeta med *Ond*, anden.

Detta är en helt och hållet immateriell del av oss. En del modern vetenskap förnekar den, men som alla andliga och religiösa traditioner håller för kärnan i individen. Det är viktigt att inte lägga mer vikt vid denna del än någon av de andra komponenterna som bygger vår helhet. Det finns ingen genväg.

Vår tro är inte dualistisk i sin syn på kropp och själ, de är inte motsatser eller kan graderas bra eller dåligt och absolut inte i gott eller ont. Om man ska fortsätta på den vägen så kan man nog snarare säga att vi ser krafterna i naturen och i oss själva som repellerande och attraherande, alltså isärtagande eller hopsättande, där det inte finns plats för dömande så som ondska eller godhet, i alla fall inte i den mening de abrahamitiska religionerna tolkar det på.

Detsamma gäller för vår syn på tiden i vår värld. Tiden existerar inte som en linjär mätbar tidslinje. Visst finns det början och slut på saker, men i det stora så går våra liv och vår historia i cykler, i cirkulära förlopp inte i linjära. Tid är egentligen bara sinnets uppfattning av rörelse, om något inte rör sig uppfattar vi det som att tiden går långsamt, men om något rör sig fort uppfattar vi det som att tiden också går fortare. En dag på arbetet kan vara dödligt långsam och tråkig om det inte händer något, men så fort vi får händelse och rörelse omkring oss, så kan den dagen plötsligt kännas som om den bara varade någon timme. Vi måste alltså ändra vår syn på tid och framförallt förstå och bli medvetna om att den inte är något konstant eller ingår i oss som en naturlig del.

Med detta i åtanke så är synen på Lik, kroppen, och Ond, anden, likställda och utan inbördes konflikt.

För att arbeta med Ond krävs att vi sammanför de andra delar jag tidigare tagit upp och detta sammanförande sker oftast genom vad våra förfäder kallade för Blot.

Blotets natur är en strukturerad rituell andlig handling som utförs av alla ovan nämnda delar. Här samverkar allt i själskomplexet för att framkalla en andlig respons. Blotet handlar om att ge av sig själv, i form av tid, värdesaker eller offergåvor.

Våra förfäder gav av det bästa de kunde ge. Ofta dyrbara saker som guld eller hästar, eller fiendens vapen. I extrema fall offrades även människor.

Om ni skulle kopiera detta till vår moderna värld blir det väldigt underligt. Vi skulle då kanske offra vår bil eller mobiltelefon. Jag tror att ni förstår vart jag vill komma, det handlar i dag mer om att ge av sin tid snarare än fysiska objekt. För oss är tid den vara som är mest värdefull. När du lägger din tid i till exempel att organisera eller planera själva utförandet av blotet så ger du på så vis en stor del av dig själv.

Blotet som rituell handling har många syften, men ett av dessa är att strukturera och förankra arketypiska symboler i din verklighet, att ta fram dessa urgamla minnen och placera dem i en strukturerad miljö där de kan behandlas av *Hugr* och *Ond*.

Som allt andligt inre arbete måste vi resultat- och mätfixerade nutida människor komma ihåg att andligt arbete tar tid och att det oftast inte ger direkta fysiska effekter. Det kan dock ske märkliga och ibland skrämmande saker, speciellt om man sitter ensam vid en domarring eller en gravhög. Om detta sker så kom ihåg att alltid fokusera på det ljus och den styrka du fått genom visualiseringsmeditationen med trädet. De andra krafter som rör sig runt kraftplatserna verkar dras till det ljus som uppstår när vi ger av oss själva, de vill få del av den kraften, men om din intention är äkta och osjälvisk, om du faktiskt står där du står för att genom din egen upplysning upplysa andra, då har du redan där en styrka som få av andarna kan agera negativt mot. Viktigast av allt är att i dina andliga övningar och i ditt liv i stort, ska fokus ligga på den hopsättande kraften. Du är en skapare, inte en förstörare.

Om du börjar använda den isärtagande *jotun*, *loki*, kraften, innan du blivit såpass stark att du kan använda den på ett medvetet plan kommer du själv att bli en del i de krafter som tar isär saker och ditt liv kommer fyllas med kaoskrafter.

Hamingja

Nu har vi arbetat oss inåt och framförallt nedåt i vårt själskomplex och har nu landat i de djupaste lagren. Vi är framme vid makter och urkrafter som, om de tillåts vakna, kan förändra ditt liv till den grad att du blir en helt ny människa.

Tidigare i förklaringsmodellen skrev jag om *Hamingjan* som ett kollektivt folkligt minne, en plats

45

där de allra tidigaste myterna och symbolerna lagrats. Det är ur *Hamingjans* påverkan vi faktiskt kan förändra, inte bara oss själva men också hela vårt folk.

Om vi väcker, stärker och lyfter fram den urgamla bilden av Odin, den evige vandraren, så påverkar detta resten av de individer som bär samma blod som vi gör. För att göra en modern liknelse så är *Hamingja* ungefär som internet. Allt lagras och kan, om du vet adressen, tas fram och studeras. Fast i detta fall handlar det mer om att du blir lärd och framförallt påverkad av det du hittar.

Jag kan ge ett exempel från min egen barndom. När jag var ungefär sex år gammal ritade jag till mina föräldrars stora förtret en av vårt folks äldsta symboler på väggen i köket. När jag började första klass har jag ett starkt minne av att jag ritade samma symbol på min klasskamrats skolbänk och denna gång till min lärares stora förtret. Hur kom det sig att jag medvetet valde att rita denna symbol, som för mig då var helt okänd? Det kan hända att jag någon gång sett den men det är inte så troligt, man får komma ihåg att vid denna tid fanns bara två kanaler på teven och det fanns inget internet. Så var jag skulle ha sett denna symbol är för mig en gåta.

Platsen där jag växte upp och där jag spenderade min barndoms lekar är så fylld av fornminnen och hällristningar från bronsåldern att dess kraft knappast kunde undgå mig. Var det detta som väckte ett urgammalt minne till liv i mig? Här kan vi tydligt se kraften i dessa arketyper och mitt liv har sedan dess varit fyllt av förfäders minne.

Wode

Wode kommer av ordet Wet och betyder inspirerad eller besatt och är närbesläktat med Wodanaz, som betyder den rasande.

Det finns många epitet och namn på Odin som antyder på denna rasande, extatiska kraft. Som jag skrev inledningsvis angående denna kraft, är den inte en inneboende del av vårt själskomplex utan den kommer till oss under vissa omständigheter. Det är Odin som vandrar med oss och tar oss i besittning när detta kommer till sitt fulla uttryck. Det tydligaste och mest välkända användandet av denna kraft är bärsärkens, Odinkrigarens totala upplösande av sin egen form.

Då de hamnar i detta tillstånd kommer kraften utifrån, men det är individen själv som har skapat denna förmåga att tillåta sig att bli ett med Wode.

Det finns även de som föds med denna förmåga och i den kategorin skulle jag placera människor som kan bli så hänförda av något att de till synes helt uppgår i objektet likt en storm som drar in i psyket och sveper bort alla spår av den egna individen.

Bärsärkarna antog djurform när de inträdde i detta stadium. Förklaringen till djurformen återkommer jag till när vi ska prata om *Fylgian*. De andliga aspekterna på denna *Wode* kan rätt använt bli ett av det mest effektiva redskapen för att få en ritual att leva.

Föreställ dig att du står i ett hus och tittar ut genom fönstret. Där ute blåser det orkanvindar, det tunna glaset är det enda som skiljer er åt. Men nu öppnar du fönstret på vid gavel och låter stormen svepa in i rummet. Den är så övermäktig och stark att du och allt annat i huset förs med av stormen. Så här kan det kännas när *Wode* tar plats i dig. Nu förmår du inte annat än att följa stormen på dess rasande väg. Det är här den rituella strukturen får sin plats, för att inte kraften ska bli destruktiv.

Du måste lära dig att kunna öppna fönstret så mycket eller litet att det passar dina syften. *Wodekraften* sätter igång en massa processer i vår kropp. *Lik*, den mest uppenbara, är adrenalinet. Dess uppgift är att försätta *Lik*, kroppen, i ett tillstånd som får dig att prestera saker du inte trodde var möjliga. Du får till exempel högre smärttolerans, du blir, som förfäderna sa, *hård för stål*, inget biter på dig och framförallt känner du inte smärta.

Jag ska ge ett personligt perspektiv, utan att gå in för mycket på mig själv.

När jag var liten och under hela min ungdom kan man säga att jag led av denna kraft. Detta lidande kom ifrån att jag inte lärt mig eller förstod kraften. Jag kunde öppna fönstret på vid gavel. Detta medförde en del större och mindre problem i min uppväxt. Inte förrän jag fann en andlig struktur kunde jag börja lära mig att hantera denna kraft. Om jag levt under vikingatiden skulle jag utan tvekan varit en av bärsärkarna.

I mitt fall är det förmodligen medfött, för jag har inget minne av någon händelse som skulle ha påverkat tillgången till denna förmåga. Men i dag känner jag stor tacksamhet inför den gåvan, den möjliggör en enkel och mycket stark väg in i det fördolda. Med samma intensitet som ett okontrollerat raseri medför, kan jag nuförtiden rikta denna kraft till något positivt och skapande.

Utan denna förmåga skulle jag inte haft möjligheten att skriva denna skrift, för det är genom *Wode* dessa ord och meningar tillkommit. Detta leder fram till de mer kontrollerade formerna av *Wode*.

Historiskt gick skalder, magiker, schamaner och sejdare under samma kraft som bärsärken och det ligger mycket sanning i detta, för den inspiration en poet eller konstnär känner när de går upp i och fastnar i sitt objekt är densamma som krigarens, eller det transliknande tillstånd en shaman befinner sig i.

Så för att arbeta med *Wode*, ska du nog inte göra som jag utan börja med att öppna fönstret lite på glänt, och med det menar jag att ritualisera de tillfällen då *Wode* framkallas, för att skapa en struktur som kan kontrolleras och fokuseras.

Det är för mig svårt att ge specifika råd till enskilda i lärandet av *Wode*. Du får själv finna den väg som passar dig och några tips på var du finner den har du fått här ovan. Du kommer inte att kunna mista dig när du väl hittar den.

Fylgian

Nu har vi kommit till den sista delen i Själskomplexet. Inte sista som i en rangordning, för dessa saker kan inte inordnas i ett linjärt system.

Fylgian är ett andligt väsen med oklar bakgrund. Det finns en del olika teorier, men för oss i denna stund spelar teorier mindre roll.

Fylgian har för en del av oss följt, hjälpt, stöttat och skyddat under hela våra liv. För andra krävs en ansträngning för att attrahera en *Fylgia*.

Fylgian påverkas väldigt mycket av din *Hamingja* och dina handlingar i livet. Om du är en stark, ärlig och modig person så kommer du också få en *Fylgia* med likvärdiga egenskaper.

Men än mer är det så att dina förfäders fylgior kan, om de var starka, ärvas i generation efter generation. Det kanske är på grund av detta som vissa ständigt är otursförföljda, medan andra har turen på sin sida.

Till och med hela folkslag kan ha en *Fylgia* och den liksom vår egen blir påverkad av dess folks svagheter och styrkor. Detta andliga väsen är på samma gång en reflektion, en spegling av oss själva, som en egen varelse med egna mål och syften. *Fylgian* kan träda in i vår verklighet för att på makternas uppdrag leda och hjälpa vissa individer att uppnå mål som gynnar folket eller gudarna.

Det nordiska själskomplexet illustrerat

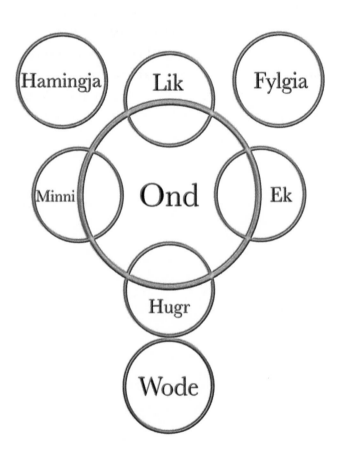

4

DEN ANDLIGA
REVOLUTIONÄREN

För att bli hela som individer måste vi som folk
radera ut synen på oss människor som skapelsens
krona, ett för övrigt abrahamitiskt tankefoster. Att
vi människor är det enda av vikt och att vi sätter
våra behov över allt annat levande. Vi måste göra
uppror, en revolution i anden mot idén att vi förtjä-
nar och kan ta för givet allt det naturen ger.

Vi lägger så stor tyngd och tar allt det vår sam-
tid tycker är socialt accepterat på dödligt allvar,
men ur ett historiskt och evolutionärt synsätt – är
det verkligen värt att lägga så stort fokus vid detta
att du är beredd att offra framtiden för dig själv,
dina barn eller din familj att du helt kan förneka
dig själv som en fri varelse?

Hur längesedan var det du gick ensam ut i sko-
gen och drog ett djupt andetag och kände tacksam-
het inför en så till synes enkel sak som luft? Har du
ens funderat på att du faktiskt kan känna samma

53

tacksamhet för luften som får dig att fortsätta existera som för en mänsklig idé? Våra förfäder och alla andra naturfolk genom historien har placerat sig själva som en liten del i en större helhet och det är vad vi också måste börja göra för att återigen bli hela. Gå ut för att komma in. Ge dig ut i naturen och ritualisera din tacksamhet. Så lätt kan det ibland vara. Vi behöver inte alltid krångla till våra liv så mycket. Det kanske är så att i enkelheten ligger det komplexa och sanna. Jag understryker det – gå ut för att nå in. Ta en dag ledigt, åk till havet eller till en sjö, känn närheten och styrkan i vattnet, det vatten som får allt att leva. Vandra upp på ett berg, bygg dig där ett altare av stenar och offra i all enkelhet din sannaste tacksamhet inför luften och vattnet som du lever och omges av.

Vi har blivit så till den milda grad lurade att vi inte längre förstår att vi finns till, annat än som den eller det, som produkter av någon annans vilja.

Inse att *vi* är fria! Vi är fria att uttrycka vårt *själv* och vår kärlek till alltet. Det finns ingen gräns, inga murar mellan dig och livet. De murarna har du fantiserat ihop själv. Jag säger inte att det är du som är orsaken till ditt och världens lidande, men det är du som måste förstå och göra uppror mot denna illusion.

Allt det du tror dig veta och allt det du fått lära dig är en fasad, en vackert upputsad filmkuliss, där du är tänkt att vara en statist. Men så fort du förstår detta faller all deras lögn, den faller för att statisten inser att den är en statist i ett skådespel, och med den förståelsen kommer också handlingen – eller den totala underkastelsen. För det är bara de som förstår och vet som har valet, och den som då ger upp har, kan man säga, lämnat de levandes skara och blivit en levande död.

De har skapat ett osynligt fängelse åt ditt sanna jag. De håller dig i ständig skräck och rädsla, en konstant panik för vad som ska hända härnäst. De har förminskat dig till den absolut minsta möjliga nämnaren. Du är i deras ögon ett nödvändigt ont, något som finns till för att de önskar så. Men just däri ligger den stora illusionen. Du är fortfarande den du är, kanske inte på ytan men i ditt inre. Kanske för en del är allt utom *Ond*, den gudomliga gnistan, korrumperat. För den kan de aldrig ta ifrån oss. Inte med hjärntvätt, inte med tortyr, inte ens med döden. Insikten om detta gör oss odödliga.

Så länge vi inte kan se kulisserna, statisterna eller producenterna, så länge som du väljer att undvika och tittar bort, så länge som du ignorerar den malande oron i ditt inre, just så länge kan de fortsätta hålla dig i rädsla. I rädsla inför nästa ekonomiska kris, i rädsla inför nästa krig eller terrorattack, inför nästa pandemi eller nästa sjukdom, listan kan göras oändlig. Jag menar inte att dessa händelser är falska eller osanna, det jag menar är att de är skapade och förstärkta med det enda syftet att fortsätta hålla mänskligheten i konstant trauma, att aldrig ge dig ett andrum där du får möjligheten till reflektion. Vi är numera ett folk med konstant utbrändhet, ett folk med kronisk depression.

Liknelsen blir uppenbar när vi jämför med filmens värld. Det dina kemiska och psykiska reaktioner säger till dig när du ser en film är faktiskt äkta och helt sanna, de kommer från din egen kropp. Men det de reagerar på är falskt och designat för att få fram dessa reaktioner hos dig. Du måste vara medveten om att det är en världsomspännande industri som står bakom dessa fasader, en armé av beteendevetare, psykologer och yrkesmän som ägnar hela sina produktiva liv åt att skapa denna illusion åt dig. Först när du inser och förstår detta blir du fri.

En trollkonstnär avslöjar aldrig sina trick, för om han gör det förlorar han all din beundran och uppmärksamhet och det är inte längre magi utan endast ficktjuveri. Denna värld styrs för tillfället av ficktjuvar och trollkonstnärer – inget kan vara säkrare än det.

När du förstår och har realiserat hur världen och makten i den fungerar, vad gör du då? Ger du upp för att det blir för omfattande? Ger du upp för att det blir för tungt och skrämmande? Ger du kanske upp för att det sociala trycket blir för hårt?

Du funderar nog på vad en enda person skulle kunna åstadkomma mot detta komplexa och enormt avancerade illusionistiska maskineri. Bara det faktum att de behåller sin kraft över oss så länge som vi accepterar och låter oss duperas att tro på dessa illusioner, gör makten väldigt svag. Vi behöver inte gräva ned oss i konspiratoriska analyser eller desperat försöka finna toppen på pyramiden, vi behöver faktiskt bara realisera och förstå vår egen fria vilja och söka finna vår inre gudomliga *Ond* – den odödliga gnistan.

Gå ut i skogen, känn närvaron av allt omkring dig, det som faktiskt är på riktigt. Sök med blicken, ser du *deras* makt där? Har naturen lurats in i detta drama? Har träden, fåglarna, bergen och myllan gått vilse? Är de duperade? Ser du underkastelse? Svaret är självklar ett stort nej.

De har ingen verklig makt. Det är vi som ger dem den kraften och framförallt tillåtelsen att utnyttja oss. Så vad hjälper det att konstatera detta, kan man fråga sig?

Det finns många sätt att göra sig fri från tyranni och lika många sätt att göra fel, men en grundläggande handling, en start i detta frigörande måste av naturliga skäl komma inifrån dig själv. Du kan aldrig bli en fri individ om du endast klistrar på dig andras idéer eller färgar din själ med andras färg. Jag vågar påstå att du inte ens genom intellektet kan läsa dig till förståelse av vad frihet innebär.

Det vi alla måste göra är att på ett eller annat sätt skapa förutsättningar för en självupplevd erfarenhet av den kraft vi alla besitter. Den kraft som faktiskt kan få oss att agera som om vi vore gudar och gudinnor. Inte för att vi som seriehjälter får unika och överjordiska krafter, men det vi får när vi hittar oss själva på riktigt är en total avsaknad av rädsla. Rädsla är uppkomsten av dualitet, all rädsla uppstår när saker inte är i enighet eller harmoni, så om vi ständigt är splittrade och dualistiska i vårt sätt att se oss själva och världen kommer rädslan att vara det som styr oss. Detta kan vi sätta i motsats till den enhet och harmoni som infinner sig i de personer som fått den gudomliga erfarenheten av att själv, genom andliga övningar eller andra påfrestningar lyckats förena sina inre enheter – de kommer aldrig att känna rädsla.

Här måste jag poängtera att det finns två sorters rädslor. Vi som djurisk organism bär på en instinkt av flykt eller strid. I dessa situationer kan man tolka känslorna som rädsla, men det är inte det jag menar med dessa egenskaper. De är av förklarliga skäl till stor nytta för oss och ska inte förväxlas med den andliga och mentala rädsla jag skriver om. Denna andliga och själsliga rädsla som vi faktiskt måste bli kvitt, har mer att göra med en socialt skapad norm. Men även rädslan att möta sig själv, utan statister och producenter. Vad har du egentligen blivit? Vem är du på riktigt? Var det så här det var meningen att du skulle framträda eller finns det något större och starkare, något friskare och modigare där inne som kan bli ditt framtida jag? Dessa frågor är de du ska ställa dig och svaren kommer förmodligen förändras med en djupare förståelse av dina själsliga egenskaper.

Ett folk eller en person utan rädslor går heller inte att styra och kontrollera med skräck. En sådan person styr sig själv till förmån för folket, naturen och sitt eget bästa.

Jag har haft den ganska unika förmånen att möta enstaka individer, dock ytterst få med dessa kvaliteter som jag beskriver ovan. Det som kännetecknar dessa personer är en otroligt stark närvaro och just avsaknad av rädslor och dualitet och framförallt kanske det lugn och den säkerhet de utstrålar. Men det som också är kännetecknet för dessa är att de alla har en gedigen och lång andlig process bakom sig. Detta är inget vi i dagens samhälle får gratis, det är något som måste förtjänas. Precis som det är för en elitidrottare kan man inte ta några hållbara genvägar.

En andlig revolution skapar en andlig krigare och en andlig krigare nöjer sig inte med att stillsamt genomlida detta liv, han eller hon kommer av naturen att söka förändring och framförallt förbättring i sig själv, men kanske viktigare, i sin omgivning. Inte förändring på ett missionerande, predikande sätt. En krigare blir som en lysande punkt i en annars så mörk omgivning. Människor dras av naturen till det som är ljust och tryggt, till det som är vackert och sunt, de som väljer en motsatt väg är av en helt annan sort och har inget med vår väg att göra. Det finns fullt med hemliga sällskap och destruktiva ordnar för dessa individer att ansluta sig till.

I Bhagavad-Gita[1] säger Krishna till Arjuna att han måste vara en krigare och göra sin plikt, men att han ska kriga och döda utan ego, utan stolthet eller hat. Detta kan låta underligt, men i själva verket är Krishnas ord guld värda här du kan agera i denna värld och till och med döda ditt folks fiender utan att göra det med lust, utan att bli indragen i den mörka onda sfär där naturens lagar dikterar en till synes rå och kall verklighet. Men då är vi återigen i vår abrahamitiska tolkning av världen – att vi är skapelsens krona. Om nu verkligheten är på ett visst sätt så är det bara så vare sig vi vill det eller ej. Men om vi agerar utefter våra känslor, om vi inte följer naturen, blir vi bara styrda av de lägsta drivkrafterna.

Det finns vissa som tjänar på att vi blir fanatiker med skygglappar stora som dasslock, det finns krafter som verkligen vill få dig att endast ha tunnelseende, men du eller vårt folk kommer aldrig att bli hela eller själsligt friska av ett sådant tillvägagångssätt. Ju mer information du kan hantera utan att bli färgad av den, desto starkare kommer du att kunna agera. Här kommer budskapet om att *göra rätt och rädas ingen*. Du kan aldrig göra rätt om du

---

[1] Bhagavadgita (sanskrit för "den höges sång"), är ett mytologiskt diktverk på sanskrit. För hinduismen utgör Bhagavadgta ett särskilt viktigt verk.

inte har erforderliga kunskaper. Om du låter dig påverkas av en samtid styrd av fanatiker så kommer också dina ageranden att gå deras väg.

Jag skulle vilja ändra på talesättet en aning, *vet sanningen och gör rätt, men räds aldrig*. Vad är då sanningen för den andlige krigare som ska göra revolt mot en döende värld? Hur ska vi behålla ljuset och det rätta, och samtidigt veta inom oss att det är rätt? Det är en fråga som jag absolut inte kan ge ett konkret svar på och förmodligen ingen annan heller. Men jag kan ge er min väg, mitt sätt att se det.

För mig finns det en sanning som är opåverkad av människors egon och agendor, och det är Moder Jords väg, det som på Sanskrit heter Dharma, det är hennes lagar som styr allt levande, även oss människor, trots att vi så länge och intensivt försökt avlägsna oss från dem. Bedöm dina och andras handlingar utefter om de samspelar med naturlagarna. Om de inte gör det, då är de av ondo och du bör undvika dem. Men om något följer den naturliga ordningen så sträva efter att förstärka och lyfta fram den.

Vad menar jag när jag kallar det för "lagar"? Naturlagarna är enkla, kalla, rationella och helt utan hänsyn till bekvämlighet eller individuella åsikter. De handlar om arters överlevnad och strävan efter perfektion och evolution. Vi kan göra det lätt för oss och ta gravitation som exempel: Det är otvivelaktigt en naturlag att om du släpper en sten så faller den. Detta oavsett vilken rådande åsikt samhället har angående gravitation för tillfället. Men det bör påpekas att en styrande elit kan och historiskt har lyckats ändra människors uppfattningsförmåga så pass mycket att helt uppenbara och naturliga företeelser kan bli bakvända. Men bara för att majoriteten inbillar sig en sak, blir den inte till sanning. Även om det skulle råka vara så att alla individer på vår jord säger att himlen är blå, förändrar det inte sanningen att det bara är vi och konstruktionen i våra ögon som får oss att uppfatta den som blå. Den är egentligen helt utan färg.

Ett annat exempel är den låga nativiteten hos de europeiska folken. Naturlagarna säger att om ett folk inte föder barn i en högre avkastning än det dör individer så kommer det folket oundvikligen att försvinna från jordens yta och aldrig mer existera. Det finns en enorm grymhet i denna kalla och hänsynslösa lagbundenhet, men det är helt enkelt så allt liv på vår planet är satt att verka. Allt som existerar går under lagen om orsak och verkan. Det vi måste göra är att ta dessa naturlagar och göra dem till en måttstock för våra handlingar och beslut. Givetvis måste vi implementera allt det som gör vårt folk unikt – vår medkänsla och vår förmåga att anpassa oss, för att nämna två exempel. Vi kan inte leva våra liv som hänsynslösa naturlagsfanatiker. Vi människor har en annan dimension att lägga till detta, nämligen den andliga sidan, den sida som gör oss så unika i sammanhanget och detta ska helt klart tas i beaktande, men vi är ändå först och främst fysiska varelser och fysikens lagar är oundvikliga.

Så vad blir då slutsatsen kring detta resonemang? Vi är bundna till vissa bestämda naturlagar som gäller för allt levande och icke levande.

- Vi ska sträva efter det som ligger så nära dessa Moder Jords lagar som vi möjligt kan.

- Vi får aldrig under några omständigheter förminska oss till konsumerande robotar för individer med onda uppsåt.

- Vi är starkt påverkade och delvis skapade av ett kollektiv medvetande.

- Rådande politiska strömningar är irrelevanta att följa för den andlige revolutionären.

- Dualitet leder till andlig rädsla och själslig ånger.

- Att ha kunskap om och vetskap kring hur vi fysiskt och andligt fungerar och samverkar, ger bot på rädslan och en garant för frihet.

- Andlig kunskap måste vara självupplevd för att få sin rätta mening.

- Friheten kan inte existera utan en bestämdhet och en hårdhet att till varje pris försvara den.

Detta är vad den moderna människan mer än i någon annan tidsålder måste kämpa med, för vi har av bekvämlighet och lättja gett bort den unika gåva som är frihet. Den kommer aldrig tillbaka till oss om vi inte ser till att förtjäna den.

En ny resa börjar

Så tar denna resa slut och en ny tar vid. Kom ihåg att allt andligt arbete tar tid, en del saker kanske tar många generationer att lösa. Det finns ingen "quick-fix" på denna väg så var inte resultatfokuserad. Du gör detta för att leva ett härligare liv, inte för att bli en andlig besserwisser som kan och vet allt.

En annan sak som är bra att ha i åtanke är att psyket är kompensatoriskt. Det kan symboliskt liknas vid en vågskål, om du försöker tvinga bort en del i dig, förstärker du en annan. Psyket vill balansera saker i ditt inre så att vågskålen är i balans.

Om du någon gång har försökt sluta snusa eller röka eller något annat beroendeframkallande, så vet du att ju hårdare du försöker pressa bort behovet desto starkare blir det. Det som händer är att vi lägger energi och fokus på den sak vi vill få bort hos oss och resultatet blir då att det i stället växer. Vi kan dra en liknelse med Tyrs bindande av Fenrisulven.

Först prövar gudarna kraftiga och tunga kedjor, men det verkar som om Fenrisulven får mer kraft ju tyngre kedjorna blir. Sedan prövar man en mycket tunn och av ickemateria skapad länk och den håller. Kan detta vara en metafor för att Fenrisulven är egot med dess växande begär och dessa kan bara tyglas genom en Tyrs man, alltså din inre principfasta disciplinerade vilja? Hårt mot hårt leder inte alltid till seger, ibland måste en känsla för magi användas. Det man bör göra i stället är att flytta fokus till det positiva aspekterna och ignorera behovet. Ta det med en klackspark, ryck på axlarna och gå vidare.

BLOTBILAGA

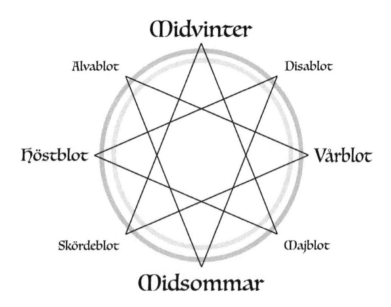

Midvinter

Alvablot

Disablot

Höstblot

Vårblot

Skördeblot

Majblot

Midsommar

BLOTKALENDERN

Ritualkalendern är uppdelad i fyra större högtider och fyra mindre. Om du föreställer dig ett hjul med åtta ekrar så är den som pekar rakt uppåt eller mot norr Midvinterblotet, och rakt under denna ligger Sommarsolståndsblotet. Åt vänster har vi Höstblotet och till höger Vårdagjämningen.

Dessa högtider hade en helt annan vikt för våra förfäder de hade en livsavgörande betydelse i det att de markerade några av de viktigaste händelserna i skördeåret och för bönder, som de flesta var, gällde det att hålla ordning på sin kalender. Men för oss i dag tar sig dessa högtider ett mer andligt och traditionellt uttryck eftersom vi inte är självhushållande i den mening som våra förfäder var. Det blir för oss ett sätt att minnas och hedra samt skapa ett nytt sammanhang i vår osammanhängande tid.

ODINBLOT

Här kommer jag att beskriva en ritual som i sig innehåller alla tekniker för att stilla sinnet *Hugr* och föra fokus in på djupet. Denna ritual kom till mig i det tidigaste skedet av *Odin World Prayer Day*[1] som är en världsomspännande rituell handling som utförs samma dag och samma tid världen över och är helt tillägnad Odin. I skrivande stund har närmare 2 500 Odins blot-ritualer utförts.

Ritualens struktur är en flera tusen år gammal vedisk tradition för att hedra Shiva. För er som inte vet det så är Odin och Shiva nära besläktade de arier som för 5 000 år sedan vandrade ned i Indien och förde med sig sina redan då urgamla gudar och ritualer där en av de största var Shiva. Nu undrar vissa av er hur och varför vi skulle ha

---

[1] Det första Odin World Prayer Day-blotet genomfördes 9 december, 2015.

ett samband med dessa avlägsna släktingar. Svaret är ganska lätt men förståelsen av det är desto svårare då allt detta handlar om *Hamingja*, det gemensamma kollektiva och medvetna, det handlar om ett blodsminne som vandrat med vårt folk världen över. Men jag återkommer och förklarar detta längre fram.

Innan jag beskriver själva ritualen så går vi igenom vad du behöver rent praktiskt.

De tre saker du behöver är:

- Odin-staty.

- Mjöd eller annan vätska. Jag vill uppmana er att brygga eget mjöd då den handlingen i sig är ett offer av tid och pengar så själva mjödet blir ett rituellt objekt.

- De 108 namnen på Odin.

- Sedan behöver du en skål att ha mjödet i samt en sked att ösa med.

- Ett fat som statyn står på och som har till uppgift att samla mjödet för senare bruk.

- En eld och då helst en eld skapad med någon alternativ metod så som flinta och stål eller eldborr. Eldborren har en lång och mytologisk betydelse. Den finns med i runan Naudiz betydelse och i den vediska eldritualen tänds elden alltid med eldborr.

71

- Du behöver också skaffa nio sorters ved till elden. Om detta är svårt i ditt område räcker det om du startar elden med nio olika trädslag eller vedartade buskar.

- Ett rituellt horn eller en bägare att dricka mjödet ur.

Här kommer en kort förklaring till symboliken med de olika sakerna för vissa av dem är inte helt tydliga och långt ifrån självklara för oss i dag.

Om vi börjar med mjödet så är det en av de dyrbaraste drycker förfäderna kunde åstadkomma. Dyrbarheten ligger i att honung var svårt att få tag i, speciellt i de mängder cirka 1 kilo till 1,5 liter vatten. Även i dag är detta förmodligen den dyraste ingrediensen i blotet. Men vad som kanske är symboliskt viktigare är att mjödet blir en representant för förenandet mellan himmel och jord i det att nektarn kommer från blommor som i sin tur hämtar sin livskraft från solen och sin näring från jorden. Symboliken blir på detta vis väldigt stark, en förening mellan himmel och jord.

Försök att ritualisera alla de saker du använder under blotet. Ju mer symbolisk betydelse tingen har desto lättare blir det för dig att komma i ett tillstånd av helighet.

Sedan har vi det som efter svärdet brukar vara symbolen för själva vikingatiden, nämligen dryckeshornet. Hornet symboliserar tämjandet av urkraften. Föregångaren till alla dagens kor är urkon som levde i Europa fram till 1627. Urkon var ett fruktat djur med sina två meter i mankhöjd, extremt aggressiv och urstark men just därför bar den på allt en människa i forntiden behövde för att överleva. Att fälla och döda ett sådant djur visade på stor styrka och stort mod, men ännu viktigare var att man genom att använda urkons enorma horn hedrade dessa fruktade djur och fick del av dess kraft.

Det samma gällde för istidsmänniskan. När mammutarna levde användes betarna i rituella sammanhang. Det finns många arkeologiska fynd av gudinnor snidade ur mammutbetar.

Så hornet blir symbolen för urkraft.

Elden kan tyckas vara en självklar symbol för trygghet och livgivande, men det finns så väldigt mycket mer att säga om den och jag kommer bara ta upp det som jag finner intressantast och viktigast. När ett vedträ brinner tror man att det är själva veden som brinner, men tittar man noga ser man att lågorna är en bit ifrån veden. Det som brinner är upphettade gaser som frigörs. När ett träd växer hämtar det mineraler, spårämnen och vatten från marken och energi från solen, så när du då eldar frigörs solens energi och blir till ljus och värme ungefär som när trädet ursprungligen hämtade det från solen. Det som blir kvar är askan och där finns de spårämnen och mineraler trädet hämtade från jorden. Så återigen har vi en symbol för mötet mellan himmel och jord. Men att tända och släcka en eld är i sig väldigt symboliskt. Här handskas vi med en potentiellt livsfarlig kraft, om den inte är under kontroll. Vi bemästrar och väljer vilken sida av skapandet vi ska stå på: Förgöra eller skapa. Att tända och släcka elden blir nu symbolen för vår förmåga att bemästra och kontrollera vår inre eld. Jag kommer att dela med mig av en eld-ritual vi utför när vi tänder våra rituella eldar.

108 NAMN

I sagorna och mytologin går Odin aldrig under sitt riktiga namn när han vandrar runt bland människorna. Han antar olika namn beroende på vilken roll han har i olika situationer. I skaldediktningen framställer skalden Odin som till exempel de dödas Gud Draugadrottin eller Gangleri, den av gång trötte.

Odin är inte ensam i den nordiska mytologin om att uppträda under binamn, så kallade kenningar. Det finns över 200 kända kenningar eller epitet för Odin men att använda 108 är precis som själva ritualen en urgammal indoarisk sed.

Jag ska försöka göra en enkel och kort förklaring till varför just 108 är ett betydande och viktigt symboliskt tal.

Om du multiplicerar diametern på solen med 108 får du ett tal som är lika med avståndet mellan solen och jorden. Om du gör det samma fast med månens diameter multiplicerat med 108, får du fram avståndet mellan jorden och månen. Solens diameter är 108 gånger diametern på jorden. Det finns väldigt mycket mer om detta för den som så önskar, jag ska inte tråka ut er med siffror.

Dessa namn på Odin kan du använda om du vill eller så sätter du ihop 108 egna från de över 200 som finns.

Algingautr	Den åldrade guden
Angan Friggja	Friggas glädje
Atrider	Han som rider fram
Bölverk	Han som övat ont
Bragi	Hövding
Draugadrottin	De dödas härskare
Darraðr	Spjutman
Feng	Byte, fångst
FafnaTyr	Bördornas gud
Foldardrottin	Jordens härskare
Fjallgeidudr	Hamnskiftaren
Fjölsvinn	Den väldigt vise
Forni	Den urgamla
Gaut	Avlaren
Grimer	Den maskerade
GeirTyr	Spjutgud
Ginnarr	Den listige
Gagnråd	Den som ger nyttiga råd
Gangleri	Sen gångtrötte
Gondel	Stavbäraren

Havi	Den höge
Haarr	Hög
Hangi	Den hängda
Helblindi	Han som förbländar krigarskarorna
Herfather	Krigets fader
Haptagud	Ledarnas ledare
Hangagud	De hängdas gud
Harbarthr	Gråskägg
Herjafather	Härarnas fader
Hrossharsgrani	Hästhårsmustasch
Hrafnaguth	Korpguden
Hjaldrgod	Stridens gud
Hjalmberi	Hjälmbäraren
Hroptatyr	Asarnas gud
Hvedrungr	Rytaren
Hrafnass	Korpguden
Hnikarr	Han som stöter
Hnikud	Omkullkastaren
Herjan	Krigare
Hengikeptr	Hängande käke
Herteitr	Glad bland krigarna
Hertyr	Sällskapets gud
Hrani	Stormaren
Hropt	Visdomen
Hoárr	Enöga
Jalg	Valack
Jafnhor	Jämnhög
Julner	Julgud

Kjalarr	Korpguden
Löndungr	Bärare av den slitna manteln
Od	Rasande
Ofne	Provokatören
Ofnir	Framkallaren
Othin	Odin
Ovner	Vinden
Olgr	Hökars beskyddare
Omi	Den som är fylld med ljud
Oski	Önskan
Raner	Han som tar
Reida	Tyr ryttarguden
RunaTyr	Runguden
Rognir	Han som bestämmer
Sannr	Den sanne
Sath	Sanning
Sigdir	Segergivaren
Sigtyr	Segerguden
sigYgg	Segersäker
Sithöttr	Han med det nedhängande hattbrättet
Svithurr	Den vise
Svipdagr	Plötslig dag
Sigfathir	Segerfader
Sidgrani	Han med långt läppskägg
Sanngetall	Den som gissar rätt
Sithskeggr	Långskägg

Skollvaldr	Svekets härskare
Skilfing	Skakaren
Svafnir	Sömngivaren
Svipall	Den som skiftar skepnad
Svolnir	Nedkylaren
Tekk	Den välkomne
Thror	Den som gynnas
Tvíblindi	Den dubbelt blinde
Thrithi	Tredje
Thundr	Den dundrande, brusande
Tveggi	Dubbel
Tredje	Den tredje
Tunn	Den bleke
Thróttr	Styrka
Unn	Den älskade
Uth	Den som strävar
Wode	Ande
Vafud	Den kringflackande
Vafuthr	Vandraren
Valföthr	De fallna krigarnas fader
Valdrgalga	Härskare av galgen
Völundrrome	Smidare av striden
VinrLodurs	Lodjurs vän
Valkjosandi	Väljaren av de fallna
Valthognir	Återuppväckaren av de döda
Vegtam	Vägvan
Vithurr	Dödaren

Veratyr	Männens gud
Wodan	Odin
Vidre	Han som råder över vädret
Vidur	Motståndaren
Voden	Vinden
Ygg	Den förskräcklige
Yjungr	Stormaren

Ritualens grund

Första steget i alla blot eller ceremonier är att tydligt och klart skapa ett avgränsat område där endast föremålet för ritualen och dess inneboende kraft har tillåtelse att verka. Detta finns belagt på många platser i texterna, det fanns något som hette Veband, ett slags tygband som man kunde använda för att skapa denna cirkel. Men den kanske mest använda formen bland dagens utövare är att hälsa de fyra dvärgar som håller upp hörnen på himmelen.

Vi har själva märkt effekten av en sluten ring kontra en ring som är öppen. När man efteråt öppnar ringen har då ofta alla de som stått på utsidan rusat in i ringen, nästan så att det skapas ett fysiskt drag som får håret att röra sig.

Vi utförde under många år ritual liknande ceremonier utan att riktigt vara medvetna om vad vi gjorde och då slöt vi aldrig någon ring runt oss. Nu i efterhand förstår man varför det hände så många underliga saker – en del mycket skrämmande.

Att skapa ett område där endast de krafter du önskar är närvarande ger en verklig effekt. Den effekt som uppnås är väldigt viktig för det gör att ni vet vad ni vill och vad som kan komma ut av det. Jag måste tillägga att det givetvis finns krafter som kan vandra ut och in genom din cirkel hur stark den än är, men i de fallen hjälper inget vi kan åstadkomma.

Vi använder detta rituella stängande och öppnande fast då motsols.

För varje väderstreck blåses det i hornet, efteråt sjungs eller talas texten med kraft och inlevelse. Stå i Algiz position, gå runt den platsen ni tänker hålla blotet i och upprepa för varje väderstreck:

Heil Nordri
Helga detta Ve och skydda det från allt ont.
Förgör allt det som ont vill vårat folk.

Heil Ostri
Helga detta Ve och skydda det från allt ont.
Förgör allt det som ont vill vårat folk.

Heil Sydri
Helga detta Ve och skydda det från allt ont.
Förgör allt det som ont vill vårat folk.

Heil Vestri
Helga detta Ve och skydda det från allt ont. Förgör
allt det som ont vill vårat folk.

Detta rituella stängande, inneslutande, gör vi före alla slags ritualer där det behövs. Du skapar en bubbla där ni kan verka ostört med just den kraft ni väljer. När ritualen är klar går ni motsols för att öppna upp ringen. Börja i Vestri och gör samma som tidigare. Heil kommer från att heliggöra hailags, och Ve är ett fornnordiskt namn för en kultplats. Det kan också vara Vi – än i dag finns många ortsnamn som antingen börjar eller slutar med Vi eller Ve. Om det finns ett gudanamn tillagt var detta förmodligen en kultofferplats för just denna makt.

Eldritualen

Nu kommer vi till eldritualen. Innan ni börjar med denna ska allt vara färdigt, ni ska inte börja med att lägga i ordning ved och så vidare.

Här är det lämpligt om någon annan än *Goden* (forntida benämning på den man som utför ritualerna och framlägger offren) tänder elden.

"Nu tänder vi Elden. Den eld som inte bara lyser
upp vår omgivning utan också är symbolen för vår
inre eld.

Vår drivkraft och vår vilja.

Denna eld symboliserar vårt bemästrande och täm-jandet av kaos.

Med vår vilja tänder och släcker vi denna kraft.

Så låt detta bli vår önskan och vårt mål.

Kenaz, lys upp de dunkla sidorna av oss.

Eiwaz, du som för våra offer till makterna.

Ingwaz, du är symbolen för vår vilja."

Alla, tre gånger:

"Kenaz Eiwaz Ingwaz"

Efter detta sätter deltagarna sig ned och börjar ritualen. Ni bör ha förberett alla saker så att ni prick klockan nio börjar med det första namnet. Nu säger ni namnen och gärna med en melodi eller snarare den rytm som passar er.

Samtidigt som ni uttalar orden fyller ni en sked med mjöd och häller detta över statyn som står på ett fat, det är viktigt att hällandet och uttalandet av orden sker samtidigt. När de 108 namnen alla är uttalade har ni nu ett fat med mjöd. Om ni är många kommer det förmodligen att rinna över men det gör inget – det blir ett offer i sig.

Sitt under tystnad och försök gå in i ett meditativt tillstånd. När ni känner er klara så tackar ni Odin för hans närvaro och häller upp mjödet i hornet eller bägaren. Nu är det valfritt vad ni gör med mjödet, men det viktiga är att veta att detta mjöd är nu heliggjort och en del av Odin. Vanligtvis brukar hornet gå runt bland deltagarna och man ger då sin skål till något som känns viktigt för förändring i ens liv, eller till något eller någon som man vill hedra.

Efter detta är själva ritualen färdig och man kan öppna ringen.

Det som rent tekniskt händer under denna ritual är att *Hugr*, sinnet, och *Lik*, kroppen, är helt upptagna och fokuserade på de praktiska saker de är bestämda att utföra. Armen måste föra skeden till skålen och till statyn för att hälla mjödet. *Hugr* är på detta vis fokuserat på att läsa och uttala namnen. Då har vi lämnat ett fält öppet och eftersom detta är en ritual till Odin så kommer detta tomrum att fyllas av hans närvaro. Vi skapar också en möjlighet för *Ond*, ande, att gräva djupt ned i *Minis*, minnets, fördolda lager och det ges utrymme och möjlighet för *Hamingjans* symboler att träda fram. Likt drömmar ur en svunnen tid bubblar dessa arketyper fram för att skapa nya vägar och spår för dig att vandra.

Att först heliggöra en dryck eller en måltid, att symboliskt ge bort den till makterna för att sedan äta eller dricka den själv, är en urgammal tradition som återfinns i de flesta ariska kulturer.

De kristna tog över denna tradition och gjorde den till sin egen. Den var så starkt rotad i nordborna så de kristna gjorde om den till att det är Jesu kött och blod du får i dig när du tar nattvarden.

FREJABLOT

Nedan är ett exempel på ett Disablot som tillägnas Freja. Under detta blot flätade vi tre ulltrådar och på så vis flätade vi in kraften från deltagarna och makterna. Vi använde svart tråd för döden, röd för blodet och vit för anden. Blotet inleds på samma vis som de andra bloten (se Ritualens grund, sida 79).

Gydjan (forntida benämning på den kvinna som utför ritualerna och framlägger offren):

"Diser fylgior gudinnor. Ni som levat för länge sedan. Vi ber er att närvara här i vår cirkel. Kom och känn värmen från ert folk. Kom och ta del av våra offergåvor.

Vanadis, du som lär oss att vandra den otrampade stigen. Du magiskt sköna Freja, Odins like, vi ber också dig att ta plats bland oss."

Tag statyn och lyft den mot himlen.

"Denna staty, Freja, är din att taga besittning av. Vi ber dig att delta med din kraft och kunskap. Så gör statyn nu till ditt hem och boning.

Vet att du alltid är välkommen nu och för alltid."

Fyll hornet och håll det mot himlen samtidigt som Gydjan säger:

"Heil, vanernas gudinna. Vi ber om fruktbarhet för att föda vårt folk.

Heil, Seidens gydia. Vi ber om fördold kunskap som leder oss inåt.

Heil, Valkyriors ledare. Vi ber om mod så vi kan stå för det som är rätt."

Nu är dessa gåvor nedkallade och närvarande i detta mjöd så låter ni nu hornet gå laget runt. Hornet går runt och alla i tur och ordning skålar för något angeläget.

Gydjan:

Hör oss; Se oss; Var bland oss; Gå med oss visa oss vägen hem

Vi människor i Midgård åkallar och nedkallar och visar vår varma kärlek till er.

Vi som står här, står här för att vi vet att ni Diser är av samma kött och blod som vi.

Trots att ni är sedan länge döda så lever ni fortfarande genom oss. Vi är ni och ni är vi och nu ska vi tillsammans befästa denna enighet.

Med er hjälp och med våra fysiska kroppar ska vi fläta in enighet, kärlek, visdom och trohet i detta band.

Vi välkomnar er gudinnor, vi välkomnar den stora modern som ger liv.

Vi ber er deltaga i vårt heliga flätande.

Vi väver nutid

Vi väver dåtid

Vi väver framtid

Vi väver segrar

Vi väver kärlek

Vi väver fruktbarhet

Nu tänder vi elden. Den eld som inte bara lyser upp vår omgivning utan också är symbolen för vår inre eld. Vår drivkraft och vår vilja.

Denna eld symboliserar vårt bemästrande och tämjande av kaos.

Med vår vilja tänder och släcker vi denna kraft.

Så låt detta bli vår önskan och vårt mål."

Nu tänder antingen Gydjan eller en hjälpare elden.

"Kenaz, lys upp de dunkla sidorna av oss.

Eiwaz, du som för våra offer till makterna.

Ing, du är symbolen för vår vilja."

Samtliga deltagare tre gånger: Kenaz Eiwaz Ingwaz

Under tiden vi flätar ljuder trumman svagt.
Nu fäster *Gydjan* tre trådar runt statyn och var och en går fram och flätar en bit.

Nu när flätan är heliggjord och stärkt av makterna, ska vi dela upp den och bära den runt vår handled och låt den dagligen påminna oss om den ständiga närvaro våra fylgior och diser utgör.

88

Kom ihåg att vi inte behöver vandra här ensamma och tomma. Men det krävs att vi öppnar dörren och att vi inte låter stigen bli igenvuxen.

Låt den stig som leder bakåt bli lika tydlig och vältrampad som den som leder in i framtiden.

Och kom ihåg att om inte allt för länge kommer också vi att vara förfäder.

Vi kan bli skyddande väsen för våra barn och för kommande generationer, men då måste vi hitta vår andliga styrka i detta liv."

Nu kapas och delas flätan ut till deltagarna.

"Vår gemensamma önskan och strävan är att denna närvaro av gudinnorna ska följa och stärka oss när vi lämnar denna heliga cirkel.

Vi skänker nu under tystnad en tanke om ljus och kärlek till det långa led av mödrar som gått före oss.

Heil dem!"

RUNARBETE

När du ska börja arbeta i *Hamingjan* så har vi ett fantastiskt verktyg tillhands, nämligen runorna. Runornas kraft och symbolik korresponderar så tydligt med *Hamingjan*. Nere på djupet har de liv och innebörd, de ligger vilande i folkminnets brunn i botten av oss alla – men du måste genomgå en symbolisk död för att nå och förstå dem. Denna symboliska död handlar i mångt och mycket om att förgöra den person som du i denna moderna tid blivit. Att likt Odin offra dig själv till dig själv. Denna myt kan antyda att Odin var en verklig människa, men levde i en tradition som förstod hur man hittade till de större makterna. Eller så är det så underligt att även gudarnas konung är tvungen att söka sig till detta dolda område för att komma åt våra bakomliggande orsaker.

För att starta med runarbetet föreslår jag att du läser dessa författare: Stephen E. Flowers, Edred

Thorsson, Stephen McNallen, Freya Aswynn och Collin Cleary.

Målet med dessa studier är att skapa dig en egen-upplevd förståelse av de bakomliggande krafter som dessa till synes enkla tecken bär med sig. Denna egenupplevda förståelse kommer ur en djup-dykning i ditt eget omedvetna, en resa genom tid och rum. Du behöver inte gå utanför dig själv för att finna den bakomliggande orsaken, men du måste först väcka orsaken till reaktionen.

Du måste medvetet sätta i gång den process som leder till att dörren öppnas. Detta gör du genom *Hugr* och *Liks* uppgifter – att ta in information för att processa den och placera den i *Minnis* vård – det är först där djupanalysen börjar. När dessa urgamla runor hamnar i ditt minne blir de som magneter, magneter som ligger där i det fördolda i ditt innersta och som förr eller senare kommer att attrahera dess motsvarande kraft ur vårt kollektiva omedvetna *Hamingjan*. När de väl har dragit till sig uppmärksamheten från *Hamingjan* och symboler-na får liv, går de från att ha varit tomma, stela och döda skrivtecken till att förvandlas och få liv. Det som sker i denna process kan liknas vid människ-ans skapelse då Odin, Vili och Ve ger liv till de två trädstammar de hittar på stranden.

Det finns två sorters runor – den exoteriska och den esoteriska. Den första är den runa de flesta kommer i kontakt med – metoden att med runornas hjälp spå framtiden eller få svar om det förgångna. Detta är den fysiska runan, den vi kan ta på och på ett ganska säkert och tydligt sätt berätta om. Men den är inte mindre kraftfull för det, dess symbolik attraherar fortfarande våra inre makter och väcker arketyperna. Det är oftast med denna metod de flesta, inklusive mig, startar sin resa med runorna och det är kanske där man måste börja.

Lär dig så mycket du kan om runorna och lär dig framför allt att skriva och uttala dem, för vibrationen tillsammans med den fysiska formen har makt att påverka dig.

När du känner att du är trygg i den kunskap du har skaffat dig om runorna och dess olika betydelser och du har lärt dig att ljuda eller sjunga runraden utantill, går vi inåt.

Varför du måste lära dig runorna utantill är för att man måste ha ett referensobjekt som *Hugr* kan hänga upp sig på, något konkret. Sinnet tycker inte om abstrakta och osynliga saker, då börjar den skapa sin egen bild. Förutom att lära dig läsa och ljuda runorna ska du rista dina egna. Här beskriver jag kort hur du gör.

Välj ett träslag du känner dig hemma med. Om du är ovan att skära i trä ska du börja med ett lättarbetat trä. Exempel på sådana träslag är idegran, ask, ek, björk, en eller fruktträd som har en fin symbolik i sig. Här är det rituellt viktigt att när du är nöjd med dina kunskaper så skapa en plats som för dig känns trygg och utan distraktion. När du nu skär in runorna och ljudar dem, kommer du med ditt fokus att ge dem kraft och *Megin*. Men om du under denna process blir störd kommer det sätta sig i dig och den runan blir onödigt mycket arbete för dig senare.

Du behöver inte göra alla på en gång, det råder ingen brådska i andligt arbete. Ta den tid du känner att du behöver, men en viktig sak att poängtera är att alltid avsluta något du påbörjat annars kommer det att fortsätta leva som ett litet och fullständigt minne i dig.

När du skurit in runorna kommer du till färgandet. Här kan det uppstå en inre konflikt för traditionen bjuder att runorna ska färgas med ditt blod för att på så sätt ge liv av ditt liv – ännu ett offer på denna väg som måste gås. Det finns mig veterligen inte belagt att det just är blod, men det står så här i Den höges sång, även kallad Odens sång, hämtad ur Eddan.

"Vet du, hur du rista ska
Vet du, hur du reda ska
Vet du, hur du färga ska
Vet du, hur du fresta ska
Vet du, hur du bedja ska
Vet du, hur du blota ska
Vet du, hur du sända ska
Vet du, hur du slopa ska"

Ordet blot betyder offra eller dyrka. Att offra en del av dig själv till dig själv.

Under tiden du ristar och färgar ska du ljuda den aktuella runan och när den är klar så lägger du ned den i en speciell påse där de ska förvaras. Jag gjorde mina runor när jag var runt 15 år och det är samma runor jag än i dag använder. Det har hänt ett flertal gånger att jag känt att det varit dags att färga dem på nytt, men underligt nog är det så att ju fler gånger de varit med under bloten desto färre gånger har jag känt det behovet – det är precis som om de får sin del ändå.

För mig har det alltid varit viktigt att tacka runorna när jag använt dem och visa tillbörlig respekt. För på något sätt är runorna en förlängning av mitt inre. Om någon utan respekt drar en runa sticker det liksom i hela mig i motsats till när någon visar tillbörlig ödmjukhet. Även om de inte tror på runorna känns det mer behagligt. Så för mig är runorna väldigt levande och ger alltid ett svar som passar in i situationen, även om jag inte kan se sambandet just då. När jag drar en runa så har jag mycket sällan en konkret fråga som jag förväntar mig ett svar på. Det är snarare så att de redan vet vad som bekymrar mig eller vad det är jag inte kan greppa och då ger de mig den kraft som ligger bakom eller är pådrivande i den givna situationen.

Runorna har inte till uppgift att tolka mig eller ens hjälpa mig, de är neutrala i det avseendet och presenterar fakta. Det blir sedan upp till mig och min kunskap om mig själv och runans innebörd, att tolka dem.

Ett annat sätt att göra runkraften personlig är att utföra ett slags yoga där man efterliknar runans form med sin kropp eller bara använder händerna. Jag går inte in mer på detta då jag har väldigt liten praktisk erfarenhet. Jag lämnar detta till läsaren att själv finna. För mitt mål med denna bok är inte att förmedla historiska fakta utan självupplevd kunskap, så informationen här är subjektiv. Använd ditt rationella, kritiska tänkande. Ta inte mina ord för sanna, för mig är allt detta så sant det kan bli, men det är min verklighet – ingen annans. Din uppgift blir att skapa din egen sanning under denna väg. Men du kan göra som jag har gjort – hämta in så mycket olika kunskaper som du kan. Bli mångfasetterad, men ha en fast grund att stå på och skapa utifrån detta din egen väg – för Asatron är inte dogmatisk eller bestämmande.

Till sist ska jag dela med mig av en Runmeditation som för ner den faktiska symbolen i ditt inre.

Gör först klart för dig varför du mediterar just på en särskild runa. Förslagsvis börjar du med första runan och går igenom alla 24 under de kommande dagarna.

Skapa ett rum av rituell stillhet och lugn där du vet att du inte kommer att bli störd. Placera dig så bekvämt du kan och börja den nu för dig välbekanta andningen, in genom näsan ned till magen och ut genom munnen, känn att allt blir lugnt och stilla. Nu visualiserar du runan svävandes framför dig. Känn ingen prestation att den ska vara eller se ut på ett visst sätt – låt den komma till dig. När bilden är stark suger du in den i ditt centrum ungefär vid solarplexus. Väl därinne börjar den växa och placera sig i din ryggrad, där kan den bli enorm och växa långt utan för dig. Eller så stannar den i sin storlek, detta ska du inte styra. Det är enormt viktigt att *Hugr*, tanken, inte är med och styr, låt allt det som sker ske utan bedömande eller korrigering från din sida.

Sitt så här med runan i 30 minuter. Försök att hålla denna tid varje gång så att kroppen vänjer sig. Ju oftare du praktiserar detta desto lättare går kroppens protester över.

När tiden är ute placeras runan i ryggraden på sin rätta plats. Börja längst ned med den första och bygg på undan för undan.

När du är klar skriver du ned alla de intryck du fick – färger, känslor, former, skriv utan att tänka eller bedöma. Detta blir viktigt för dig längre fram.

SÖK DIN FYLGIA

Det finns några traditionella sätt att fram mana sin *Fylgia*, så som trumresor eller utesittningar och inte minst meditativa tekniker, men för att någon av dessa ska fungera och ge önskad effekt måste du mentalt och andligt bestämma dig för vad som ska uppnås – i detta fall att möta din *Fylgia*.

Denna vägvisare kan ta många olika former så bli inte förvånad om du möter något som du inte hade väntat dig. Jag har aldrig hört talas om Fylgior som tar en annan form än djur och människa eller en blandning av dessa. Men det är inte helt omöjligt att vårdträdet som ofta stod på gårdsplanen förr i tiden var släktens, familjens *Fylgia*.

Om detta är din första trumresa är det lämpligast att ni är två en som trummar och en som reser. Här gör ni samma sak som vid de andra ritualerna – ni hälsar väderstrecken och sluter ringen, eller gör någon ritual ni själva skapat. Fortsätt med andningen och börja din mentala resa sittandes vid dit träd. Vid det här laget har du skapat en sådan stark inre bild av trädet att du utan svårighet kan ta dig till den platsen. Orsaken till trummandet är att distrahera *Hugr*, sinnet, men också för att vibrationen ger dig hjälp på vägen. Denna väg leder nu nedåt, du sjunker ned i marken under trädet. Där finns gångar eller tunnlar, en del trånga andra så stora att du kan gå in i dem. Du ser trädets stora rötter över och runt dig, det är en varm och trygg känsla och inte alls underjordiskt och mörkt. Här ska du vänta tills någon eller något kommer fram ur en tunnel – här kan lite vad som helst hända så ha inga förutfattade meningar. Om det inte ser ut som jag beskriver så är det precis som det ska se ut för dig. Om du vid något tillfälle tappar fokus och *Hugr*, sinnet, kommer in och vill styra ska du lyssna på trumman och följa andningen. Härifrån är upplevelserna väldigt olika – en del går nedåt medan andra följer trädet uppåt.

Trummaren håller ordning på tiden så när 20 minuter har gått börjar han successivt öka takten. Detta gör han tills 30 minuter gått. De allra sista slagen ska vara hårda och tydligt avgränsande. Detta gör vi för att den resande ska ha en möjlighet att resa tillbaka och vakna lugnt. Som vanligt bör du skriva ned alla de upplevelser du haft i din bok, för senare analys. Jag tar med detta med boken trots att jag inte har haft någon själv, men jag önskar väldigt starkt att någon uppmanat mig för alla dessa år sedan att föra en andlig dagbok. Hur intressant skulle det inte ha varit att läsa dessa saker nu i efterhand! Min egen upplevelse av denna resa, trots att det var cirka 20 år sedan, är fortfarande starkt levande i mig. Detaljerna har suddats ut, men känslan av trygghet och spänningen i att kunna lämna kroppen och denna värld finns kvar. Jag vandrade först längs en rot nedåt för att simultant vandra upp och fram till Bifrost och vidare in i Asgård – mer vill jag inte säga. När jag skriver om dessa övningar finns risken att jag målar upp en för stark bild eller skapar ett för detaljerat händelseförlopp som kan störa dit eget flöde. Det är viktigt att komma ihåg detta: Dina upplevelser är perfekta och precis som de ska vara – jämför inte med andras beskrivningar, ta vad du får och lär dig av det.

Utesittning

Ett annat och kanske mer krävande sätt att möta din *Fylgia* är vad vi kallar utesittning.

Denna sed finns historiskt belagd och förfäderna satt framförallt på någon av sina förfäders gravar. På den tiden låg gravfälten oftast intill gårdarna så man hade alltid närvaro bakåt i tiden.

För oss skulle det bli väldigt underligt att sitta på en kyrkogård, även om jag har haft starka upplevelser på sådana. Men min rekommendation är att du söker dig till ett gravfält eller en annan plats med anknytning till vår tro.

Denna övning utförs i ensamhet och under tystnad och utan någon eld eller ljus. Du kan själv välja om du vill sitta under den ljusare delen av året eller när det är helt svart.

En av poängerna här är att du är ensam och utlämnad åt saker du inte kan förutse. Detta sätter en ny prägel på din resa inåt. Det kan hända att det finns mycket rädslor förknippade med en natt ensam på ett gravfält, men det är precis så det ska vara – utan offer, ingen gåva. När morgonen gryr lovar jag dig att du har funnit ny styrka och fasthet i dig själv. Denna övning är inte ritualiserad på samma vis som de andra, här är det mera upp till den andra sidan att sätta tonen. Men det är viktigt att du har preciserat ditt syfte innan och kanske framförallt när du kommer fram till den plats du ska sitta på. Om du önskar så kan du stänga cirkeln när du börjar, då har du skapat viss trygghet runt dig.

Denna övning kan användas till andra saker än att möta *Fylgian*. Historiskt handlade det ofta om att få hjälp av sina döda släktingar med olika svårigheter i livet. Detta är också den mest tidskrävande övningen då den tar en hel natt i anspråk, men det i sig är ett bra offer som sällan går obemärkt förbi.

Rekommenderad läsning

Det finns en uppsjö av litteratur för den som vill fördjupa sig inom asatro, hedendom, runarbete och liknande områden. Här nedan har jag samlat en lista på böcker som på olika sätt påverkat mig och som jag varmt kan rekommendera för den som vill fördjupa sig i dessa läror.

Asatru: A Native European Spirituality,
Stephen McNallen, 2015

The Philosophy of Metagenetics, Folkism and Beyond,
Stephen McNallen, 2006

Summoning the Gods,
Collin Cleary, 2011

What is a Rune? & Other Essays,
Collin Cleary, 2015

Northern Mysteries &; Magick Runes, Gods and Feminine Powers,
Freya Aswynn, 1998

Alu, an Advanced Guide to Operative Runology,
Edred Thorsson, 2012

Futhark: A Handbook of Rune Magic,
Edred Thorsson, 1984